LIBÉRÉE

LA MAISON DE LA NUIT

Livre 1. *Marquée*

Livre 2. *Trahie*

Livre 3. *Choisie*

Livre 4. *Rebelle*

Livre 5. *Traquée*

Livre 6. *Tentée*

Livre 7. *Brûlée*

À paraître :

Livre 9. *Destinée*
(octobre 2013)

LIBÉRÉE

LA MAISON DE LA NUIT   LIVRE 8

P. C. CAST ET KRISTIN CAST

Traduit de l'américain par Julie Lopez

POCKET JEUNESSE
PKJ·

Directeur de collection :
Xavier d'ALMEIDA

Titre original :
A House of Night Novel 8
Awakened
Publié pour la première fois en 2010
par St. Martin's Press LLC, New York.

Loi n° 49 956 du 16 juillet 1949 sur les publications
destinées à la jeunesse : février 2013.

ISBN : 978-2-266-20269-5

Kristin et moi aimerions dédier ce livre aux jeunes
de LGBT (Lesbiennes, Gays, Bisexuels
et Trans-genres).
Vos préférences sexuelles ne vous définissent pas.
C'est votre esprit qui vous définit.
Les choses s'arrangent toujours.
Nous vous aimons.
Quoi qu'« ils » en disent, la vie c'est une question
d'amour, toujours d'amour.

CHAPITRE UN

Neferet

U n troublant sentiment d'irritation réveilla Neferet. Avant qu'elle ne quitte pour de bon cet état
particulier, entre rêve et réalité, ses longs doigts
élégants cherchèrent Kalona. Elle toucha un bras musclé à la peau lisse, ferme et agréable. Cette caresse légère
comme une plume suffit : l'homme remua et se tourna
vers elle avec empressement.

— Ma déesse ?

Sa voix était rauque de sommeil et de désir. Il l'aga-
çait.

— Laisse-moi, Kronos.

Il lui avait fallu un moment pour se souvenir de son
nom ridicule et prétentieux.

— Déesse, qu'ai-je fait pour vous déplaire ?

Elle lui jeta un coup d'œil. Le jeune Fils d'Érebus
allongé à côté d'elle avait un beau visage ouvert,
enthousiaste, des yeux aigue-marine aussi frappants à
la lueur de la bougie que la veille, en plein jour, quand
elle l'avait vu s'entraîner dans la cour du château. D'un

seul regard aguicheur elle l'avait attiré à elle. Il avait essayé de lui prouver qu'il n'y avait pas que son nom de divin : en vain, malgré sa bonne volonté.

Le problème, c'était que Neferet, ayant partagé la couche d'un immortel, ne savait que trop bien que Kronos était un imposteur.

— Respirer, dit-elle en lui lançant un regard ennuyé.

— Respirer, déesse ?

Il plissa le front, orné d'un tatouage censé représenter des massues cloutées, mais qui, aux yeux de Neferet, évoquait plutôt des feux d'artifice.

— Tu as demandé ce que tu avais fait pour me déplaire, et voici ma réponse : tu respires. Bien trop près de moi, qui plus est. Il est temps que tu quittes mon lit.

Elle soupira et claqua des doigts.

— Va-t'en. Maintenant !

Elle faillit éclater de rire en voyant son expression choquée et blessée. Ce gamin avait-il vraiment cru qu'il pourrait remplacer son consort divin ? Son impertinence attisait sa colère.

Dans les coins de sa chambre, des ombres palpitaient, impatientes. Même si elle feignait de les ignorer, elle sentait leur agitation, et cela lui plaisait.

— Kronos, tu m'as changé les idées, et pendant un bref moment tu m'as donné un peu de plaisir.

Elle le toucha de nouveau, moins délicatement cette fois, et ses ongles laissèrent des traces de griffures sur son avant-bras. Il ne sursauta pas, ne retira pas son bras. Il frissonna et sa respiration s'accéléra. Neferet sourit.

Elle avait su au moment même où son regard avait croisé le sien que ce garçon avait besoin de souffrir pour ressentir du désir.

— Je te donnerais plus de plaisir encore si tu le permettais, dit-il.

Elle esquissa un sourire et s'humecta lentement les lèvres alors qu'il la dévisageait avec espoir.

— Une autre fois, peut-être. Pour l'instant, je veux que tu t'en ailles et, bien entendu, que tu continues de me vénérer.

— Et si je te montrais à quel point j'ai envie de te vénérer ? suggéra-t-il d'une voix caressante.

Il commit alors l'erreur de tendre la main vers elle.

Comme s'il avait le droit de la toucher.

Comme si elle était soumise à ses besoins !

Un écho du passé de Neferet – une époque qu'elle pensait avoir enterrée avec son humanité –, des souvenirs ensevelis remontèrent à la surface. Elle sentit les doigts de son père et même son haleine fétide, imbibée d'alcool, tandis que son enfance envahissait l'instant présent.

Sa réaction fut instantanée. Elle leva la main et la tendit, paume ouverte, vers les ombres maléfiques.

L'Obscurité répondit à son appel encore plus rapidement que Kronos. Elle sentit sa froideur mortelle et se délecta de cette sensation, d'autant plus qu'elle repoussait les souvenirs qui affluaient par vagues. D'un geste nonchalant, elle répandit l'Obscurité sur Kronos.

— Si c'est de la souffrance que tu veux, alors goûte à mon feu glacial.

L'Obscurité pénétra aussitôt la peau lisse du combattant, découpant des rubans écarlates sur son avant-bras.

Il poussa un gémissement, plus de peur que de passion.

— Maintenant, obéis-moi. Laisse-moi. Et n'oublie pas, jeune combattant, une déesse choisit quand, où et comment elle veut être touchée. Ne prends plus jamais de telles libertés.

Agrippant son bras en sang, Kronos se leva et s'inclina très bas devant Neferet.

— Oui, ma déesse.

— Quelle déesse ? Sois plus précis, combattant ! Je refuse qu'on me donne un titre ambigu.

— Nyx Incarnée, répondit-il sur-le-champ. Tel est votre titre, ma déesse.

Le regard de Neferet s'adoucit, et son visage se détendit.

— Très bien, Kronos. Très bien. Tu vois comme il est facile de me plaire ?

Pris au piège de son regard émeraude, Kronos hocha une fois la tête, puis posa le poing sur son cœur.

— Oui, ma déesse, ma Nyx.

Sur ce, il sortit de la chambre à reculons.

Neferet sourit. Peu lui importait de ne pas être réellement l'incarnation de Nyx. À vrai dire, cela ne l'intéressait pas de jouer ce rôle.

— Car cela revient à être moins qu'une déesse, dit-elle aux tentacules du mal qui l'entouraient.

Le plus important, c'était le pouvoir – et si le titre de Nyx incarnée l'aidait à l'acquérir, en particulier auprès des Fils d'Érebus, elle s'en accommoderait.

— Mais j'aspire à plus, à beaucoup plus que me tenir dans l'ombre d'une déesse.

Bientôt, elle serait prête à passer à l'étape suivante, et elle se savait capable de manipuler certains Fils d'Érebus pour qu'ils restent à ses côtés. Oh, pas suffisamment pour lui faire gagner la bataille, mais assez pour affaiblir le moral des combattants en les dressant les uns contre les autres. « Les hommes, pensa-t-elle avec dédain, si facilement dupés par le masque de la beauté et par les titres, si facilement utilisés à mon avantage ! »

Réjouie par cette pensée, elle quitta le lit, enfila un peignoir en soie et sortit dans le couloir. Sans même y penser, elle se dirigea vers l'escalier conduisant dans les entrailles du château.

Des ombres profondes la suivaient, aimants noirs attirés par son agitation grandissante. Elle savait qu'elles étaient dangereuses, et qu'elles se nourrissaient de son malaise, de sa colère, des tourments de son esprit. Mais, bizarrement, elle trouvait du réconfort dans leur présence.

Elle ne s'arrêta qu'une seule fois en chemin. « Pourquoi vais-je encore le voir ? Pourquoi est-ce que je lui permets d'envahir mes pensées ce soir ? » Elle secoua la tête comme pour chasser ces questions et s'adressa à l'Obscurité qui flottait autour d'elle, attentive, dans l'escalier vide et étroit.

— J'y vais parce que j'en ai envie. Kalona est mon consort. Il a été blessé alors qu'il était à mon service. Il est naturel que je pense à lui !

Avec un sourire satisfait, elle se remit en marche,

ignorant la vérité : Kalona avait été blessé parce qu'elle l'avait piégé, et l'avait forcé à lui obéir.

Elle atteignit le cachot creusé des siècles auparavant dans la terre rocheuse de l'île de Capri et s'engagea en silence dans le couloir éclairé par des torches. Le Fils d'Érebus qui montait la garde devant la pièce munie de barreaux ne parvint pas à cacher sa surprise. Le sourire de Neferet s'élargit : ce regard choqué, teinté de peur, lui disait qu'elle arrivait de mieux en mieux à donner l'impression d'émerger comme par magie de la nuit et des ténèbres. Voilà qui allégeait son humeur, mais pas au point de tempérer par la douceur d'un sourire les notes cruelles de sa voix impérieuse.

— Va-t'en. Je veux être seule avec mon consort.

Le Fils d'Érebus n'hésita qu'un instant, mais cette pause suffit pour que Neferet décide qu'il serait bientôt rappelé à Venise. Peut-être à cause d'une urgence concernant un de ses proches...

— Prêtresse, je vous laisse à votre intimité. Mais sachez que je resterai à portée de votre voix pour répondre à votre appel en cas de besoin.

Sans croiser son regard, il posa son poing sur le cœur et s'inclina – pas assez bas, à son goût. Elle le regarda s'éloigner dans le couloir étroit.

— Oui, murmura-t-elle, je sens qu'un malheureux accident va frapper sa compagne...

Elle lissa son peignoir et se tourna vers la porte en bois fermée. Elle inspira profondément l'air humide du cachot, puis repoussa ses épais cheveux acajou qui lui tombaient devant le visage, se préparant à utiliser sa beauté comme une arme au combat qui l'attendait. Elle agita la main, et la porte s'ouvrit toute seule.

Kalona était étendu à même le sol en terre battue. Elle ne lui avait pas accordé de lit. Il avait une mission à terminer ; si son corps recouvrait trop de sa force immortelle, il serait distrait. Or il avait juré de lui servir d'épée dans l'Au-delà pour les débarrasser des ennuis que Zoey Redbird leur avait causés dans cette réalité.

Neferet s'approcha de lui. Il était allongé sur le dos, nu, couvert seulement par ses ailes d'onyx comme par un voile. Elle tomba gracieusement à genoux, puis s'étendit près de lui sur l'épaisse fourrure qu'elle avait fait placer à ses côtés pour son propre usage.

Elle soupira et toucha le visage de Kalona. Sa chair était froide, comme toujours, mais sans vie. Il ne réagit pas à sa présence.

— Qu'est-ce qui te retient là-bas aussi longtemps, mon amour ? Pourquoi ne peux-tu pas disposer plus rapidement de cette gamine agaçante ?

Elle le caressa encore ; cette fois, sa main glissa sur son cou, sur sa poitrine et s'attarda sur les muscles saillants de son abdomen.

— Rappelle-toi ton serment, et remplis-le, que je puisse de nouveau t'ouvrir mes bras et mon lit. Par le sang et l'Obscurité, tu as juré d'empêcher Zoey Redbird de retrouver son corps, et ainsi de le détruire, pour que je puisse diriger ce monde moderne.

Elle passa un doigt sur la taille mince de l'immortel en souriant.

— Bien sûr, tu seras à mes côtés quand je serai au pouvoir.

Invisibles pour les Fils d'Érebus censés l'espionner pour le compte du Conseil Supérieur, les fils noirs et arachnéens qui emprisonnaient Kalona frémirent et effleurèrent la main de Neferet de leurs tentacules glaciaux. Se laissant distraire un instant par leur contact attirant, elle ouvrit sa paume et laissa l'Obscurité s'enrouler autour de son poignet, couper légèrement sa chair — sans lui causer de souffrance insupportable, juste assez pour satisfaire son éternelle faim de sang.

Souviens-toi de ton serment...

Ces mots tournaient autour d'elle tel le vent d'hiver dans des branches dénudées. Elle fronça les sourcils : elle n'avait pas besoin qu'on le lui rappelle. Évidemment qu'elle se souvenait de son serment ! L'Obscurité lui obéissait, emprisonnant le corps de Kalona et maintenant de force son âme dans l'Au-delà ; en échange, elle avait accepté de sacrifier la vie d'un innocent que l'Obscurité n'avait pas réussi à salir.

Le serment est toujours là. Notre accord tient toujours, même si Kalona devait échouer, Tsi Sgili...

— Kalona n'échouera pas ! s'écria Neferet, furieuse que l'Obscurité ose la réprimander. Et si c'était le cas, son esprit est lié au mien, et je le commanderai aussi longtemps qu'il sera immortel, de sorte que, même dans l'échec, j'aurai remporté une victoire. Mais il n'échouera pas, répéta-t-elle lentement, reprenant le contrôle de son tempérament de plus en plus instable.

L'Obscurité lécha sa paume. La légère douleur lui fit plaisir et elle regarda les filaments avec affection, comme s'ils étaient des chatons trop empressés rivalisant pour obtenir son attention.

— Soyez patients, mes chéris. Sa quête n'est pas terminée. Mon Kalona n'est encore qu'une coquille. Cela me fait supposer que Zoey se languit dans l'Au-delà – incapable de vivre pleinement, mais pas encore morte.

Les fils enroulés autour de son poignet frémirent, et l'espace d'un instant elle crut entendre au loin des rires moqueurs. Mais elle n'eut pas le temps de se demander s'ils étaient réels, ou si c'était juste une manifestation de l'Obscurité et du pouvoir qui consumait une partie toujours plus grande de sa vie, parce que, soudain, le corps de Kalona se convulsa, et il inspira profondément.

Ses yeux s'ouvrirent, mais ce n'étaient que des cavités vides et ensanglantées.

— Kalona ! Mon amour !

Neferet se pencha vers lui, à genoux, agitant les mains autour de son visage.

L'Obscurité qui caressait ses poignets se mit à palpiter dans un regain de puissance, la faisant tressaillir, puis s'élança pour rejoindre les tentacules poisseux qui, comme une toile d'araignée, flottaient sous le plafond en pierre du cachot.

Avant que Neferet puisse formuler un ordre et rappeler un fil à elle pour lui demander la cause d'une conduite aussi étrange, un éclair aveuglant, si vif et brillant qu'elle dut abriter ses yeux, explosa au plafond.

Le filet d'Obscurité l'attrapa, la prenant au piège. Kalona ouvrit la bouche dans un cri muet.

— Qu'y a-t-il ? J'exige de savoir ce qui se passe !
lança Neferet.

Ton consort est de retour, Tsi Sgili.

Le globe de lumière s'arracha à l'air et, avec un sifflement terrible, l'Obscurité enfonça l'âme de Kalona
dans ses orbites.

L'immortel ailé se tordit de douleur. Il se couvrit le
visage de ses mains en haletant.

— Kalona !

Comme elle l'aurait fait à l'époque où elle était une
jeune guérisseuse, Neferet agit machinalement. Elle
appuya ses paumes sur le visage de Kalona, se concentra, et dit :

— Apaisez-le... Faites cesser sa douleur... Que sa
torture, comme le soleil rougeoyant à l'horizon, dispa-
raisse après un dernier éclair dans le ciel nocturne.

Les frissons qui secouaient le corps de Kalona s'atté-
nuèrent aussitôt. L'immortel ailé inspira profondément.
Malgré ses tremblements, il serra les mains de Neferet
et les enleva de son visage. Puis il ouvrit les yeux. Ils
étaient d'une couleur ambrée, clairs et lucides. Il était
de nouveau lui-même !

— Tu m'es revenu !

L'espace d'un instant, Neferet ressentit un tel soulagement en le voyant éveillé et conscient qu'elle faillit
pleurer.

— Ta mission est terminée, dit-elle en repoussant
les tentacules qui s'accrochaient avec obstination au
corps de Kalona, contrariée qu'ils soient aussi réticents
à relâcher son amant.

— Éloigne-moi de la terre, dit l'immortel d'une voix

rauque. Approche-moi du ciel. J'ai besoin de voir le ciel.

— Oui, bien sûr, mon amour, répondit-elle en agitant la main en direction de la porte, qui s'ouvrit. Combattant ! Mon consort se réveille. Aide-le à monter sur le toit du château !

Le Fils d'Érebus s'exécuta sans poser de questions, mais elle nota qu'il paraissait choqué par la réanimation subite de Kalona. Elle lui décocha un sourire méprisant.

« Attends un peu, tu vas voir ! Très bientôt, toi et les autres combattants n'obéirez qu'à moi seule – ou alors vous périrez. » Ravie par cette pensée, elle suivit les deux hommes hors des entrailles de l'ancienne forteresse. Après avoir gravi une longue volée de marches, ils débouchèrent sur le toit.

Il était minuit passé. À l'horizon, la lune, jaune et lourde, n'était pas encore pleine.

— Aide-le à s'asseoir, puis laisse-nous, ordonna Neferet en désignant le banc en marbre finement sculpté, près du bord du toit, d'où l'on avait une vue magnifique sur la Méditerranée scintillante.

Cependant, Neferet se moquait bien de la beauté environnante. Elle congédia le combattant d'un geste et le chassa de son esprit tout en sachant qu'il préviendrait le Conseil Supérieur du réveil de son consort.

C'était sans importance. Elle s'en occuperait plus tard.

Seule une chose comptait pour l'instant : Kalona lui était revenu, ce qui signifiait que Zoey Redbird était morte.

CHAPITRE DEUX

Neferet

— Parle, Kalona ! Raconte-moi tout, distinctement, sans te presser... Je veux savourer chaque mot.

Neferet s'agenouilla devant Kalona et caressa ses ailes
sombres et douces, dépliées le long de ses flancs. Son
corps bronzé baignait dans la lueur dorée de la lune.
Elle s'efforça de ne pas trembler, impatiente qu'il la
touche – impatiente de retrouver sa passion froide, sa
chaleur glacée.

— Que veux-tu que je te dise ? demanda-t-il sans
la regarder, le visage offert au ciel comme pour absorber
les bienfaits du firmament.

Cette question la décontenança ; son désir décrut, et
elle cessa de le caresser.

— Donne-moi les détails de notre victoire pour que
je puisse m'en réjouir avec toi.

Elle parlait lentement, se disant que le cerveau de
Kalona devait être encore un peu embrouillé par le
déplacement récent de son âme.

— *Notre* victoire ? fit-il.

Elle plissa ses yeux verts.

— En effet. Tu es mon consort. Ta victoire est la mienne, et réciproquement.

— Ta bonté touche au divin. Serais-tu devenue déesse en mon absence ?

Neferet le fixa, surprise. Il ne la regardait toujours pas ; sa voix était dénuée d'expression. Était-ce de l'impudence ? Elle ignora sa question.

— Que s'est-il passé dans l'Au-delà ? Comment Zoey est-elle morte ?

Elle sut ce qu'il allait dire au moment même où il posa enfin ses yeux ambrés sur elle, et, dans un geste puéril, elle se couvrit les oreilles et se mit à secouer la tête, alors que ses mots poignardaient son âme.

— Zoey Redbird n'est pas morte.

Neferet se leva et ôta les mains de ses oreilles. Elle s'éloigna de Kalona, regardant sans le voir le saphir liquide de la mer nocturne. Elle respirait lentement pour contrôler ses émotions bouillonnantes. Elle ne reprit la parole qu'une fois certaine qu'elle ne hurlerait pas de colère.

— Pourquoi ? Pourquoi n'as-tu pas mené ta quête à terme ?

— C'était ta quête, Neferet, pas la mienne. Tu m'as forcé à retourner dans un royaume dont j'ai été banni. Ce qui s'est passé était prévisible : les amis de Zoey se sont ralliés à elle. Avec leur aide, elle a guéri son âme brisée et s'est retrouvée.

— Pourquoi ne l'en as-tu pas empêchée ? demanda-t-elle d'une voix glaciale, sans lui accorder un regard.

— Nyx.

Il prononça son nom comme s'il priait, d'une voix basse, douce, déférente. La jalousie transperça le cœur de Neferet.

— Que vient-elle faire là-dedans ? cracha-t-elle.

— Elle est intervenue.

— Quoi ? s'écria Neferet en faisant volte-face, en proie à l'incrédulité et à la peur. Tu espères me faire croire que Nyx s'est mêlée du choix d'une mortelle ?

— Non, répondit-il d'une voix lasse. Elle est intervenue *après* que Zoey a été guérie. Nyx l'a bénie. Cette bénédiction a participé de son salut et de celui de son combattant.

— Zoey vit toujours, lâcha-t-elle d'une voix froide.

— Oui.

— Alors, ton âme immortelle reste à mon service.

Elle se dirigea vers la sortie.

— Où vas-tu ? lança-t-elle. Que va-t-il se passer maintenant ?

Dégoûtée par la faiblesse qu'elle percevait dans sa voix, elle se retourna. Elle se redressa, grande et fière, et tendit les bras pour que les fils poisseux qui palpitaient autour d'elle puissent caresser sa peau.

— Ce qui va se passer maintenant ? C'est très simple. Je vais faire en sorte que Zoey retourne en Oklahoma. Là-bas je terminerai à ma façon la tâche que tu n'as pas su exécuter.

— Et moi ? fit-il alors qu'elle pivotait sur ses talons.

Elle s'arrêta et lui jeta un coup d'œil.

— Tu rentreras toi aussi à Tulsa, seul. J'ai besoin de toi, mais nous ne pouvons être vus ensemble en

public. As-tu oublié, mon amour, que tu es un meurtrier désormais ? C'est toi qui as tué Heath Luck.

— C'est *nous* qui l'avons tué.

Elle lui adressa un sourire suave.

— Ce n'est pas ce que pense le Conseil Supérieur.
Demain à l'aube, je l'avertirai que ton âme a retrouvé
ton corps, et que tu as avoué avoir tué le jeune humain
parce que tu percevais la haine qu'il nourrissait à mon
égard comme une menace. Je leur dirai que tu pensais
me protéger. C'est pourquoi j'ai été clémente en te
punissant. Je t'ai seulement fait fouetter cent fois avant
de te bannir pour un siècle.

Kalona se redressa avec peine. Neferet vit avec plaisir
que la colère brûlait dans ses yeux.

— Tu t'attends à ce que je ne te touche pas pendant
un siècle ?

— Bien sûr que non. Je te permettrai gracieusement
de revenir à mes côtés quand tes blessures auront guéri.
Tu pourras toujours me toucher – loin des regards
indiscrets.

Il haussa un sourcil. Comme il était arrogant, même
affaibli, même vaincu !

— Combien de temps veux-tu que je reste dans
l'ombre, à faire semblant de guérir de blessures imagi-
naires ?

— Tu ne reviendras à mes côtés que lorsque tu seras
rétabli.

D'un geste rapide, Neferet porta son poignet à ses
lèvres et se mordit profondément. Un cercle de sang y
apparut aussitôt. Puis elle fit un mouvement circulaire
avec le bras, tandis que les fils poisseux d'Obscurité

ondulaient avidement autour de l'entaille, comme des sangsues. Elle serra les dents pour ne pas flancher, pendant que les tentacules tranchants la poignardaient encore et encore. Lorsqu'ils furent assez gonflés de sang, elle leur parla doucement.

— Vous avez reçu votre paiement. Maintenant, vous devez m'obéir, dit-elle en posant les yeux sur son amant immortel. Fouettez-le sans pitié. Cent fois.

Elle lança l'Obscurité sur Kalona. L'immortel affaibli eut à peine le temps de déplier ses ailes et de faire un bond en arrière. Les fils coupants comme des rasoirs le rattrapèrent et s'enroulèrent autour de ses ailes, à l'endroit sensible où elles rejoignaient sa colonne vertébrale. Kalona se retrouva plaqué contre les vieilles pierres de la balustrade alors que l'Obscurité creusait des sillons dans son dos nu, lentement, méthodiquement.

Neferet regarda la scène jusqu'à ce que la belle tête fière de l'immortel ne tombe en avant, vaincue, et qu'à chaque coup, son corps ne soit pris de convulsions.

— Ne le marquez pas à vie. Je compte bien profiter encore de la beauté de sa peau, dit-elle avant de s'éloigner d'un pas décidé. Il semblerait que je doive tout faire moi-même, et il y a tant de choses à faire…, murmura-t-elle à l'Obscurité qui la suivait, rampant autour de ses chevilles.

Elle crut y distinguer la silhouette d'un taureau massif qui la regardait avec approbation.

Elle sourit.

CHAPITRE TROIS

Zoey

Pour la millionième fois, j'admirais la salle du trône de Sgiach, la Grande Coupeuse de Têtes, reine vampire très âgée, ultrapuissante et entourée de ses propres combattants, qu'on appelait les gardiens. Il y a très longtemps, elle avait même affronté le Conseil Supérieur et avait gagné ! Et pourtant son château n'était pas un immonde édifice médiéval avec toilettes à l'extérieur. C'était une forteresse chic. La vue sur la mer que l'on pouvait contempler des fenêtres, et en particulier de celles de la salle du trône, était si splendide qu'elle m'aurait semblé plus à sa place à la télé qu'en face de moi, dans la vraie vie.

— C'est magnifique, ici.

Bon, parler toute seule – surtout si peu de temps après avoir erré, perdue, dans l'Au-delà comme une folle – n'était peut-être pas très rassurant. Je soupirai et haussai les épaules.

— Et puis après ? Nala n'est pas là, Stark non plus, Aphrodite fait des choses que je préfère ne pas imaginer avec Darius, et Sgiach exécute des tours de magie ou s'entraîne à se battre comme un super héros avec Seoras, alors je n'ai pas trop le choix.

— Je lisais simplement mes e-mails ; rien de magique ni d'héroïque là-dedans.

J'aurais dû sursauter : la reine venait d'apparaître de nulle part, mais après mon expérience dans l'Au-delà, il en fallait plus pour me faire peur. Et puis, je me sentais étrangement liée à cette reine vampire. Oui, elle était impressionnante et avait des pouvoirs extraordinaires, mais dans les semaines qui avaient suivi notre retour, à Stark et moi, elle avait constitué un véritable repère pour moi. Pendant qu'Aphrodite et Darius s'embrassaient et marchaient main dans la main sur la plage, que Stark dormait encore et encore, Sgiach et moi avions passé du temps ensemble, parfois à parler, parfois non. Elle était la femme la plus cool, vampires et humaines confondues, que j'avais jamais rencontrée.

— Vous plaisantez ? Vous êtes une reine guerrière qui vit dans un château, sur une île où personne ne peut entrer sans votre autorisation, *et vous lisez vos e-mails* ? Pour moi, c'est de la magie.

Elle éclata de rire.

— La science est souvent plus mystérieuse que la magie, c'est du moins ce que j'ai toujours pensé. À ce propos, je suis toujours étonnée que la lumière du jour affecte et affaiblisse autant ton gardien.

— C'est parce qu'il est blessé. D'habitude, il reste conscient pendant la journée, même s'il ne peut pas s'exposer à la lumière directe du soleil. Tous les vampires et novices rouges sont dans le même cas. Le soleil leur est néfaste.

Je me tus, ne voulant admettre à quel point c'était pénible pour moi de voir mon combattant et gardien aussi mal en point.

— Jeune reine, cela pourrait être un réel désavantage s'il était incapable de te protéger pendant le jour.

Je haussai les épaules, malgré un frisson prémonitoire.

— Oui, mais récemment j'ai appris à prendre soin de moi. Je pense pouvoir me débrouiller seule quelques heures par jour, répliquai-je avec une dureté dont je fus la première surprise.

Sgiach plongea ses yeux verts dans les miens.

— Ne la laisse pas t'endurcir.

— Quoi ?

— L'Obscurité, et la lutte que tu mènes contre elle.

— Ne faut-il pas être dure pour combattre ?

Je me revis en train d'empaler Kalona avec sa propre lance contre le mur de l'arène, dans l'Au-delà, et mon ventre se noua.

Sgiach secoua la tête, et le soleil déclinant éclaira sa mèche de cheveux argentés.

— Non, tu dois être forte. Tu dois être sage. Tu dois te connaître et ne faire confiance qu'à ceux qui le méritent. Si tu laisses la bataille contre l'Obscurité t'endurcir, ton jugement en pâtira.

Je me détournai pour regarder les eaux bleu-gris qui baignaient l'île de Skye. Le soleil se couchait dans l'océan, qui reflétait ses couleurs délicates, corail et rose. C'était splendide, paisible ; normal. Devant ce spectacle, il était difficile de croire que le mal, la mort et l'Obscurité œuvraient dans le monde.

Mais l'Obscurité était encore là, sans doute multipliée par mille. Kalona ne m'avait pas tuée, et Neferet devait être vraiment, vraiment furieuse.

Rien que cette pensée m'épuisait. Je redressai les épaules et fis face à Sgiach.

— Et si je n'avais plus envie de me battre ? Si je voulais rester ici, du moins pendant un temps ? Stark n'est plus lui-même. Il a besoin de se reposer, de guérir. J'ai déjà envoyé un message au Conseil Supérieur au sujet de Kalona. Ils savent qu'il a assassiné Heath avant de se lancer à ma poursuite, que Neferet était dans le coup et qu'elle s'est alliée avec l'Obscurité. Le Conseil Supérieur peut s'occuper de Neferet. Bon sang, des adultes doivent la maîtriser et l'empêcher de semer le chaos !

Comme Sgiach ne disait rien, j'inspirai profondément et repris mon discours.

— Je suis une gamine. De dix-sept ans à peine ! Je suis nulle en géométrie, en espagnol aussi. Je n'ai même pas le droit de voter. Ce n'est pas à moi de combattre le mal – je dois passer le bac et, je l'espère, réussir ma Transformation. Mon âme a été brisée, et mon petit ami est mort. Je ne mérite pas de faire une pause ? Une toute petite pause ?

À mon immense surprise, Sgiach sourit et répondit :

— Si, Zoey, je crois que tu le mérites.

— Vous voulez dire que je peux rester ici ?

— Aussi longtemps que tu le voudras. Je sais ce que c'est, de sentir la pression du monde sur ses épaules.

Ici, comme tu l'as dit, le monde ne peut entrer qu'avec mon autorisation. Et, en général, je lui demande de rester à distance.

— Et le combat contre l'Obscurité, et tout ça ?

— Cela attendra ton retour.

— Waouh ! Sérieusement ?

— Sérieusement. Je t'offre l'hospitalité jusqu'à ce que ton âme soit reposée et rétablie, et que ta conscience t'ordonne de retourner dans ta vie.

J'eus un pincement au cœur en entendant le mot « conscience », mais je l'ignorai.

— Stark peut rester aussi, n'est-ce pas ?

— Bien sûr. Une reine doit toujours avoir son gardien à ses côtés.

— À ce propos, repris-je, ravie de pouvoir changer de sujet, depuis combien de temps Seoras est-il votre gardien ?

Le regard de la reine s'adoucit ; son sourire devint plus chaleureux, et encore plus beau.

— Seoras m'a prêté son serment de gardien il y a plus de cinq cents ans.

— Cinq cents ans ! Quel âge avez-vous ?

— À partir d'un certain point, ne crois-tu pas que l'âge n'a plus d'importance ? fit-elle en riant.

— Et c'est pas poli de demander l'âge d'une jeune fille.

Même s'il n'avait pas parlé, j'aurais deviné que Seoras était entré dans la pièce. Le visage de Sgiach changeait en sa présence ; c'était comme s'il appuyait sur un interrupteur, allumant en elle une douce lumière. Et quand il la regarda brièvement, il parut moins bourru, moins marqué par les combats.

La reine rit et lui toucha le bras avec une intimité qui me fit espérer que Stark et moi parviendrions un jour à trouver ne serait-ce qu'une infime partie de ce que ces deux-là possédaient. Et s'il m'appelait toujours « jeune fille » après cinq cents ans de vie commune, ce serait cool aussi.

Heath m'aurait appelée jeune fille. Ou alors Zo – pour toujours, sa Zo.

Mais Heath était mort, et il ne m'appellerait plus jamais d'aucune façon.

— Il vous attend, jeune reine, dit Seoras.

Je l'ai dévisagé, sous le choc.

— Heath ?

Son regard était plein de sagesse et de compréhension, sa voix douce.

— Ah, ton Heath t'attend sans doute quelque part, mais là je parle de ton gardien.

— Stark ! Oh, bien, il est réveillé.

Je savais que j'avais l'air coupable. Je ne faisais pas exprès de penser tout le temps à Heath, mais j'avais du mal à m'en empêcher. Il faisait partie de ma vie depuis mes neuf ans – et il n'était mort que depuis quelques semaines. Je me ressaisis, m'inclinai rapidement devant Sgiach et me dirigeai vers la porte.

— Il est pas dans votre chambre, dit Seoras. Le p'tit gars est près du bosquet. Il veut que tu le rejoignes là-bas.

— Il est dehors ?

Je m'arrêtai, surprise. Depuis qu'il était revenu de l'Au-delà, il avait été trop faible pour faire autre chose que manger, dormir et jouer aux jeux vidéo avec Seoras, ce qui était à vrai dire un spectacle très bizarre – comme si un lycéen jouait à *Call of Duty* avec Braveheart.

— Oui, la fillette a fini de se pomponner et se conduit à nouveau comme un vrai gardien.

Je posai le poing sur ma hanche et lui lançai un regard mauvais.

— Il a failli mourir ! Vous l'avez coupé en pièces, il est allé dans l'Au-delà. Alors, lâchez-le un peu.

— Oui, mais il n'est pas mort, hein ?

Je levai les yeux au ciel.

— Vous dites qu'il est dans le bosquet ?

— Oui.

— OK.

Alors que je passais la porte, la voix de Sgiach me parvint.

— Pense à prendre cette ravissante écharpe que tu as achetée au village. La soirée est fraîche.

Je fus étonnée de ce conseil. D'accord, il faisait froid, et souvent humide, sur Skye, mais les novices et les vampires étaient moins sensibles que les humains aux changements de climat. Enfin... Quand une reine vampire vous demande de faire quelque chose, il vaut mieux obéir. Je fis donc un détour par la chambre immense que je partageais avec Stark et attrapai l'écharpe que j'avais pendue au lit à baldaquin. Elle était en cachemire couleur crème, avec des fils dorés, et je la trouvais plus jolie sur les rideaux écarlates du lit qu'autour de mon cou.

Je fis une brève pause, observant la couche que j'avais partagée avec Stark ces dernières semaines. Je m'étais blottie contre lui, je lui avais tenu la main, j'avais posé la tête sur son épaule en le regardant dormir. Mais rien de plus. Il n'avait pas essayé d'aller plus loin, même pour me taquiner.

« Arrête ! Il est gravement blessé ! » me dis-je.

Je grinçai des dents en repensant au nombre de fois où il avait souffert à cause de moi : une flèche l'avait presque tué en le frappant à ma place ; il avait été poignardé, puis avait détruit une part de lui pour aller me rejoindre dans l'Au-delà ; il avait été mortellement blessé par Kalona, qui avait cru que ce serait le seul moyen de me briser.

« Mais je l'avais sauvé », me rappelai-je. Stark avait vu juste : quand Kalona l'avait attaqué, je m'étais res-saisie, et grâce à ma réaction Nyx avait forcé Kalona à souffler une parcelle d'immortalité dans le corps de Stark, lui rendant la vie et payant la dette qu'il avait contractée envers moi en tuant Heath.

Je traversai le château magnifiquement décoré, saluant d'un signe de tête les combattants qui s'incli-naient avec respect devant moi. Je pensai à Stark et accélérai le pas. Qu'est-ce qui lui avait pris d'aller dehors après ce qu'il avait subi ?

Je n'avais aucune idée de ce qu'il avait en tête. Il était différent depuis notre retour.

« Bien sûr qu'il est différent ! » me dis-je sévèrement. Je me sentais déloyale : mon combattant avait voyagé dans l'Au-delà, était mort, un immortel l'avait ressus-cité, puis il était retourné dans un corps faible et blessé.

Mais avant ça, avant notre retour dans le monde réel, quelque chose s'était passé entre nous. Quelque chose avait changé. Du moins, je l'avais cru. Nous avions été très proches dans l'Au-delà. Il avait bu mon sang, et cela avait été une expérience incroyable, plus qu'une expérience sexuelle. Oui, ç'avait été très, très agréable. Cela l'avait guéri, renforcé, et – je ne sais comment – avait réparé ce qui était brisé en moi, et mes tatouages avaient réapparu.

Et grâce à cette intimité avec Stark la perte de Heath m'avait paru supportable.

Alors pourquoi me sentais-je aussi déprimée ? Qu'est-ce qui n'allait pas chez moi ?

Je n'en savais rien.

Une maman aurait su. Je pensai à ma mère, et une sensation de solitude terrible et inattendue s'abattit sur moi. Oui, elle avait tout fichu en l'air et m'avait préféré son mari, mais c'était toujours ma maman. « Elle me manque », admit une petite voix en moi. Je secouai la tête. Non. J'avais toujours une « maman ». Grand-mère était une mère pour moi, et bien plus encore.

— C'est Grand-mère qui me manque.

Dire que je ne l'avais même pas appelée depuis mon retour ! Évidemment, je savais qu'elle avait deviné que mon âme était revenue et que j'allais bien. Elle avait toujours été très intuitive, surtout en ce qui me concernait. Mais j'aurais dû lui téléphoner.

Déçue par moi-même, triste, je me mordillai la lèvre et enroulai l'écharpe en cachemire autour de mon cou ; puis je traversai le pont, fouettée par un vent glacial. Des combattants allumaient les torches, et je les saluai alors qu'ils s'inclinaient sur mon passage. Je m'efforçai de ne pas regarder les sinistres crânes empalés à côté des torches. De vrais crânes. De vrais morts. Bon, ils étaient vieux, tout flétris et n'avaient presque plus de chair, mais c'était quand même impressionnant.

Je suivis le chemin surélevé au milieu du terrain bourbeux qui longeait le château. Je tournai à gauche en arrivant sur la route. En face, le Bosquet Sacré semblait s'étendre à l'infini. Je le connaissais, car ces dernières semaines, alors que Stark se rétablissait, je m'étais sentie attirée par cet endroit. Dès que je n'étais pas avec la reine, avec Aphrodite ou au chevet de Stark, j'y faisais de longues promenades. Il me rappelait l'Au-delà, et ce souvenir me réconfortait et m'effrayait en même temps.

Cependant, je ne m'étais aventurée dans le Bosquet Sacré, ou comme Seoras l'appelait, le Croabh, que pendant la journée. Jamais la nuit.

Je marchais sur la route éclairée par des torches qui projetaient des reflets vacillants sur le monde moussu et magique de ce bois sans âge. C'était différent sans soleil. Ce paysage ne m'était plus familier, et je sentis un picotement sur ma peau, comme si tous mes sens étaient en alerte rouge.

Mon regard revenait sans cesse aux ombres dans le bosquet. Étaient-elles trop noires ? Quelque chose d'anormal rôdait-il là ? Je frissonnai, et à ce moment-là, il y eut du mouvement sur la route. Mon cœur manqua un coup. Je plissai les yeux, m'attendant presque à voir des ailes et à sentir le froid, le mal et la folie...

Mais ce que je vis affola mon cœur pour d'autres raisons.

Stark était là, devant deux arbres qui s'étaient entremêlés pour n'en former plus qu'un. Leurs branches étaient décorées de bandes de tissu nouées ensemble – certaines de couleurs vives, d'autres passées, en loques. C'était la version terrestre de l'arbre à souhaits qui se trouvait devant le bois de Nyx, dans l'Au-delà, mais celui-ci n'était pas moins spectaculaire sous prétexte qu'il était « réel ». Le garçon qui m'attendait là en observant les branches portait le kilt couleur terre des MacUallis, à la manière des combattants traditionnels, accompagné d'une dague, d'une escarcelle en peau et de tout un attirail sexy en cuir clouté.

Je le dévisageai comme si je ne l'avais pas vu depuis des années. Il avait l'air fort, en bonne santé, et il était absolument superbe. Je me demandais ce que les Écossais portaient, ou ne portaient pas, sous leur kilt quand il se tourna vers moi.

Un sourire illumina son regard.

— Je t'entends presque penser, Zoey !

Les joues se mirent à me brûler : il était effectivement capable de sentir mes émotions.

— Tu n'es pas censé épier mes pensées, à moins que je sois en danger.

Son sourire devint insolent ; ses yeux pétillaient de malice.

— Alors, ne pense pas si fort ! Mais tu as raison, je n'aurais pas dû, car ce qui émane de toi est le contraire de ce que je qualifierais de « danger ».

— Gros malin ! répliquai-je en souriant à mon tour.

Il me tendit la main et nos doigts s'entrelacèrent. Sa peau était chaude, sa main ferme, solide. Il avait encore des cernes sous les yeux, mais il n'était plus aussi pâle.

— Tu es redevenu toi-même !

— Oui, ça m'a pris un moment ; mon sommeil a été agité, pas très reposant, mais j'ai l'impression de m'être enfin rechargé.

— J'en suis contente. Je me suis fait beaucoup de souci...

En le disant, je me rendis compte que c'était la vérité.

— Et tu m'as manqué, lâchai-je.

Il m'attira à lui. Son air taquin avait disparu.

— Je sais. Je t'ai sentie distante et effrayée. Pourquoi ?

Je voulais lui dire qu'il se trompait, que je lui avais juste donné de l'espace, le temps qu'il guérisse, mais les mots qui s'échappèrent de ma bouche furent plus honnêtes.

— Tu as beaucoup souffert à cause de moi.

— Pas à cause de toi, Zoey. J'ai souffert à cause de l'Obscurité. Elle essaie de détruire ceux qui se battent pour la Lumière.

— Oui, eh bien, j'aimerais que l'Obscurité arrête de t'embêter et qu'elle te laisse te reposer.

Il me donna un coup d'épaule.

— Je savais dans quoi je m'embarquais quand je t'ai prêté serment. Ça ne me dérangeait pas à l'époque, et ça ne me dérangera pas plus dans cinquante ans. Et, Zoey, tu ne flattes pas ma virilité quand tu dis que l'Obscurité m'« embête ».

— Je suis sérieuse, Stark. Tu veux savoir ce qui me préoccupait, alors, voilà : j'ai eu peur que tu aies été trop gravement blessé cette fois-ci, dis-je, retenant mes larmes. Si gravement que tu ne te guérirais pas. Et que tu me quitterais, toi aussi.

La présence de Heath était si tangible entre nous que je m'attendais presque à le voir sortir du bois en disant : « Allons, Zo, ne pleure pas ! Tu mets de la morve partout ! » Et, évidemment, cette pensée me donna encore plus envie d'éclater en sanglots.

— Écoute-moi, Zoey. Je suis ton gardien. Tu es ma reine ; c'est plus qu'une grande prêtresse, et notre lien est plus fort que tout.

Je clignai des yeux.

— Tant mieux, parce qu'on dirait que quelqu'un essaie de m'arracher tous ceux que j'aime.

— Personne ne m'arrachera jamais à toi, Zoey. Je t'ai prêté serment.

Il sourit, et il y avait tant de confiance et d'amour dans ses yeux que j'en eus un coup au cœur.

— Tu ne te débarrasseras jamais de moi, *mo bann ri.*

— Tant mieux, dis-je doucement en posant la tête sur son épaule, alors qu'il me serrait contre lui. J'en ai marre des séparations.

Il m'embrassa le front.

— Pareil pour moi…, murmura-t-il.

— En fait, je crois que je suis fatiguée. Point final. Moi aussi, j'ai besoin de me recharger. Tu serais d'accord pour qu'on reste ici ? Je… je ne veux pas partir et retrouver… retrouver…

J'hésitai, ne sachant comment formuler ce que je ressentais.

— Retrouver tout, le bon comme le mauvais, dit mon gardien. Je vois ce que tu veux dire. Qu'en pense Sgiach ?

— Elle dit qu'on peut rester aussi longtemps que ma conscience le permet, répondis-je avec un sourire un peu ironique. Et, pour l'instant, ma conscience est très permissive.

— Ça me va. Je ne suis pas pressé de retrouver Neferet et les drames qui nous attendent.

— Alors, on reste un peu ?

— On reste jusqu'à ce que tu décides qu'il faut partir.

Je fermai les yeux et me laissai aller contre lui. J'avais l'impression qu'un poids immense avait été retiré de ma poitrine.

— Hé, tu es d'accord pour faire quelque chose avec moi ? demanda-t-il.

— Oui, tout ce que tu voudras.

Il ricana.

— Vu ta réponse, je vais peut-être changer ma question.

— Pas ce genre de trucs, dis-je en le poussant doucement, même si j'étais soulagée qu'il ait repris son comportement habituel.

— Ah bon ?

Son regard passa de mes yeux à mes lèvres, et il parut soudain moins insolent, plus affamé. J'en eus des frissons. Il m'embrassa, longuement, avec force, me coupant le souffle.

— Tu es sûre que tu ne parlais pas de ce genre de trucs ? demanda-t-il d'une voix plus basse, plus rauque que d'ordinaire.

— Non. Oui.

— Oui ou non ?

— Je ne sais pas. Je n'arrive pas à réfléchir quand tu m'embrasses comme ça, répondis-je en toute honnêteté.

— Alors, il va falloir que je le fasse plus souvent.

— OK.

J'avais la tête qui tournait, les genoux flageolants.

— OK, répéta-t-il. Mais plus tard. Pour l'instant, je vais te montrer comme je suis fort, et m'en tenir à ma première question.

Il plongea la main dans son escarcelle et en sortit une longue bande du tissu du clan MacUallis, qu'il laissa flotter au vent.

— Zoey Redbird, acceptes-tu d'attacher sur l'arbre à souhaits tes vœux et tes rêves pour l'avenir avec les miens ?

Je n'hésitai qu'une seconde — juste le temps de sentir la douleur aiguë que me causait l'absence de Heath, puis je clignai des yeux pour chasser mes larmes et répondis à mon combattant et gardien :

— Oui, Stark, j'attacherai mes vœux et mes rêves pour l'avenir avec les tiens.

CHAPITRE QUATRE

Zoey

— Qu'est-ce que je dois faire ?

— Arracher un bout de ton écharpe, répondit Stark.

— Tu es sûr ?

— Oui, ce sont les instructions de Seoras. Il a ajouté que je manquais d'éducation, que je ne savais pas distinguer mon derrière de mon coude, et que j'étais une fillette.

Nous secouâmes la tête, consternés par la bizarrerie du gardien de la reine.

— Bref, continua-t-il, il dit que les morceaux de tissu doivent provenir d'un objet auquel on tient.

Il sourit et tira sur ma nouvelle écharpe chatoyante, magnifique – et hors de prix.

— Tu l'aimes beaucoup, n'est-ce pas ?

— Oui, assez pour ne pas avoir envie de la déchirer.

Il sortit la dague de son étui et me la tendit.

— Dans ce cas, attachée à mon plaid écossais, elle formera un nœud solide entre nous.

— Oui, mais ce plaid ne t'a pas coûté une fortune, marmonnai-je en prenant la dague.

Il me regarda dans les yeux.

— Tu as raison. Il ne m'a pas coûté d'argent. Il m'a coûté du sang.

Mes épaules s'affaissèrent.

— Je suis désolée. Non, mais écoute-moi gémir pour des futilités ! Ah, zut ! Je commence à ressembler à Aphrodite.

Stark retourna la dague, posant la pointe sur son cœur.

— Si tu deviens comme elle, je vais devoir me poignarder.

— Si je deviens comme Aphrodite, poignarde-moi d'abord.

Je tendis la main, et il relâcha la dague.

— Entendu, dit-il en souriant.

— Entendu, répétai-je, avant d'arracher une bande, longue et fine, de mon écharpe d'un coup sec. Et maintenant ?

— Choisis une branche. Seoras dit que je dois tenir mon bout de tissu, et toi le tien. On les attache ensemble, et les vœux que l'on fera pour notre avenir seront attachés aussi.

— Vraiment ? C'est super romantique.

— Oui, je sais, dit Stark en caressant ma joue. J'aurais aimé avoir cette idée moi-même, rien que pour toi.

Je le regardai droit dans les yeux et dis avec sincérité :

— Tu es le meilleur gardien au monde !

Il secoua la tête, le visage crispé.

— Non. Ne dis pas ça.

Cette fois, ce fut mon tour de lui caresser la joue.

— Pour moi, Stark, tu es le meilleur gardien au monde.

Il se détendit un peu.

— Pour toi, j'essaierai de l'être.

— Là, dis-je en désignant une branche basse qui se divisait en deux, formant un cœur parfait. C'est notre endroit.

Nous approchâmes de l'arbre, puis, suivant les conseils du gardien de Sgiach, nous attachâmes le tissu couleur de terre du clan MacUallis avec mon tissu chatoyant couleur crème. Nos doigts s'effleurèrent et, alors que nous terminions le nœud, nos regards se croisèrent.

— Mon vœu est que notre futur soit aussi solide que ce nœud, dit Stark.

— Mon vœu, c'est que notre futur soit lié, comme ce nœud, fis-je.

Nous scellâmes le rituel par un baiser passionné ; puis il me prit la main.

— Tu veux bien que je te montre quelque chose ?

Il commença à m'entraîner vers le bosquet, mais il dut sentir mon hésitation, car il pressa ma main et me sourit.

— Hé, il n'y a rien là-bas qui puisse te faire du mal, et si c'était le cas, je te protégerais. Je le promets.

— Je sais. Désolée.

J'avalai ma salive, la gorge serrée par la peur, et le suivis entre les arbres.

— Tu es revenue, Zoey. Vraiment revenue ! Et tu es en sécurité.

— Ça ne te rappelle pas l'Au-delà, toi ? demandai-je tout bas.

— Si, mais de façon positive.

— Oui, à moi aussi, la plupart du temps. Je ressens des choses ici qui me font penser à Nyx et à son royaume.

— Je pense que c'est dû à l'ancienneté de ce lieu, et à son isolement. Voilà, nous y sommes. Seoras m'en a parlé, et il me semblait bien l'avoir vu juste avant ton arrivée. Regarde !

Il tendit le doigt, et je poussai un cri de joie. L'un des arbres luisait d'une douce lumière bleue, qui brillait entre les plis de son écorce épaisse, comme s'il avait des veines lumineuses.

— C'est incroyable ! Qu'est-ce que c'est ?

— Je suis sûr qu'il existe une explication scientifique – c'est sans doute une plante phosphorescente –, mais je préfère penser que c'est de la magie, de la magie écossaise.

Je tirai sur son plaid.

— Moi aussi ! Et à propos de trucs écossais, je te trouve vraiment canon dans cette tenue.

— Oui, c'est bizarre qu'une jupe en laine puisse paraître à ce point virile.

Je gloussai.

— J'aimerais bien t'entendre dire à Seoras et aux autres qu'ils portent des jupes en laine.

— Ah non ! Ce n'est pas parce que je reviens de l'Au-delà que j'ai envie de mourir.

Il sembla réfléchir à ce que je venais de dire.

— Alors, je te plais comme ça ?

Je croisai les bras et marchai autour de lui pour mieux l'observer. La couleur du plaid MacUallis me rappelait toujours la terre – et même, étrangement, la terre rouge de l'Oklahoma. Un marron rouille mélangé à la teinte plus pâle des feuilles d'automne et du gris foncé de l'écorce. Il le portait à l'ancienne, comme Seoras le lui avait appris : il fallait plisser ces mètres de tissu à la main avant de s'en envelopper et de les attacher avec des ceintures et de vieilles broches très cool (que les combattants n'appelaient sûrement pas des broches). Un pan de plaid remontait sur ses épaules, heureusement d'ailleurs, car à part les ceintures en cuir entre-croisées, il ne portait qu'un T-shirt sans manches qui ne couvrait pas grand-chose.

Stark se racla la gorge. Avec son sourire en coin, on aurait dit un petit garçon un peu nerveux.

— Alors ? Ai-je réussi l'inspection, ma reine ?

— Absolument, souris-je. Je te donne un A+.

Mon gardien robuste et coriace parut soulagé, ce qui me toucha beaucoup.

— Heureux de l'apprendre. Regarde, c'est pratique, toute cette laine.

Il me prit la main et m'entraîna vers l'arbre lumineux, puis il s'assit, étalant une partie de son plaid sur la mousse.

— Viens près de moi, Zoey.

— Avec plaisir !

Je me blottis contre lui ; il me prit dans ses bras et replia le plaid sur moi pour que je sois au chaud, comme dans un cocon.

Nous sommes restés là sans parler pendant un long moment. Notre silence était agréable et beau. Je me sentais bien dans son étreinte. En sécurité. Et lorsque ses mains se mirent à bouger et à suivre le tracé de mes tatouages, d'abord sur mon visage, puis sur mon cou, cela me parut bien aussi.

— Je suis content qu'ils soient revenus, dit-il doucement.

— C'est grâce à toi, murmurai-je. Grâce à ce que tu m'as fait ressentir dans l'Au-delà.

Il m'embrassa le front.

— Quand tu étais effrayée et flippée ?

— Non, grâce à toi, je me suis sentie revivre.

Ses lèvres passèrent de mon front à ma bouche.

— C'est bon à savoir, car après ce qui est arrivé à Heath, quand j'ai failli te perdre, j'ai enfin réalisé ce que je soupçonnais déjà. Je ne peux pas vivre sans toi, Zoey. Peut-être que je ne serai que ton gardien, et que tu auras un autre consort, ou même un compagnon, mais cela ne changera pas ce que je suis pour toi. Je ne serai plus jamais énervé et égoïste, et je ne te quitterai jamais. Quoi qu'il arrive. J'accepterai les autres hommes de ta vie, et ça ne changera pas notre relation. Je le jure.

Il soupira et posa son front contre le mien.

— Merci, dis-je, même si ça me donne un peu l'impression que tu veux me pousser dans les bras d'autres mecs.

— N'importe quoi, Zoey !

— Tu viens de dire que ça ne te dérangeait pas que je...

— Non ! protesta-t-il. J'ai juste dit que ça ne bri- serait pas ce que nous avons.

— Et qu'avons-nous ?

— Nous nous appartenons. Pour toujours.

— Ça me suffit, Stark, dis-je en l'enlaçant. Tu veux bien faire quelque chose pour moi ?

— Oui, tout ce que tu veux.

— Embrasse-moi encore, pour que je ne puisse plus réfléchir.

— Ça doit pouvoir se faire.

Son baiser, au début lent et doux, devint rapidement plus passionné, et ses mains commencèrent à explorer mon corps. Lorsqu'il arriva au bas de mon T-shirt, il hésita, et pendant ce bref instant, je pris ma décision. J'avais envie de Stark. De lui, tout entier. Je m'écartai un peu pour le regarder dans les yeux. Il se rapprocha aussitôt, comme s'il ne pouvait supporter de ne pas être contre moi.

— Attends, fis-je en posant la main sur sa poitrine.

— Désolé, lâcha-t-il d'un ton bourru. Je ne voulais pas te heurter.

— Non, ce n'est pas ça. Tu ne m'as pas heurtée. Je voulais seulement te dire… que…

Je me tus, essayant de remettre mon cerveau en mar- che malgré la brume du désir qui l'envahissait.

— Oh, et puis zut ! Je vais te montrer ce que je veux.

Je me levai. Stark me regardait avec une curiosité mêlée de passion, mais quand j'enlevai mon T-shirt et mon jean, ses yeux parurent s'assombrir sous l'effet du désir. Je m'allongeai de nouveau dans ses bras, me délectant du contact de son plaid rugueux contre ma peau nue.

— Tu es tellement belle ! souffla-t-il.

Il passa le doigt sur le tatouage qui m'encerclait la taille, ce qui me fit trembler.

— Tu as peur ?

— Non. Je tremble parce que j'ai envie de toi.

— Tu en es sûre ?

— Absolument. Je t'aime, Stark.

— Moi aussi, je t'aime, Zoey.

Alors, il me serra contre lui et, avec ses mains et ses lèvres, il chassa le monde extérieur. Je ne pensai plus qu'à lui – je ne voulais être qu'avec lui. Ses caresses bannirent le souvenir horrible de Loren, et effacèrent l'erreur que j'avais commise en me donnant à lui. En même temps, la douleur causée par la perte de Heath s'atténua. Il me manquerait toujours, mais alors que Stark me faisait l'amour, je compris que je devrais lui dire adieu un jour ou l'autre.

Stark était mon futur – mon combattant – mon gardien – mon amour.

Lorsqu'il s'étendit nu auprès de moi, je sentis sa langue sur mon cou, là où battait mon pouls, puis une légère pression de ses dents, comme s'il me posait une question.

— Oui, répondis-je, étonnée par ma voix étrange, essoufflée.

J'embrassai ses épaules puissantes. Je posai à mon tour cette question muette en promenant mes dents sur son cou.

— Oh, déesse, oui ! S'il te plaît, Zoey. S'il te plaît.

Je ne pouvais plus attendre. Je mordis sa peau au moment même où ses dents perçaient la mienne. Avec le goût sucré de son sang chaud, mon corps s'emplit de nos sentiments mêlés. Le lien qui nous unissait était comme du feu – il nous brûlait et nous consumait, presque douloureux dans son intensité, nous procurant un plaisir à la limite du supportable. Nous nous accrochions l'un à l'autre, bouche contre peau, corps contre corps. Je n'entendais plus que les battements de nos cœurs à l'unisson ; je ne savais plus où je finissais et où il commençait. Je n'aurais pu distinguer son plaisir du mien. Ensuite, allongée dans ses bras, corps luisant de sueur, j'envoyai une prière silencieuse à la déesse : « Nyx, merci de m'avoir donné Stark. Merci de lui avoir permis de m'aimer. »

Plus tard, je devais repenser à cette nuit comme à l'une des plus belles de ma vie. Dans le chaos de l'avenir, le souvenir de la chaleur des bras de Stark, de nos caresses, de nos rêves partagés, de ce moment de pur bonheur, me serait très précieux, comme la chaude lueur d'une bougie par une nuit très sombre.

Au bout de plusieurs heures, nous rentrâmes lentement au château, les doigts entrelacés, nous frôlant à chaque pas. Nous venions de passer le pont, et j'avais été tellement absorbée par Stark que je n'avais même pas remarqué les têtes empalées. À vrai dire, je n'avais pas remarqué grand-chose, jusqu'à ce que la voix d'Aphrodite me fasse sursauter.

— Non, mais vraiment ! Vous ne voulez pas vous trimballer avec une pancarte, tant que vous y êtes ?

Je relevai la tête d'un air rêveur et vis Aphrodite qui se tenait à la lumière d'une torche, à l'entrée du château, tapant des pieds avec impatience.

— Ma beauté, laisse-les tranquilles. Ils ont bien mérité leur part de bonheur, dit la voix profonde de Darius, s'élevant des ombres derrière elle.

Elle haussa les sourcils, l'air moqueur.

— Je ne suis pas sûre que ce soit du bonheur, ce qu'elle vient de lui donner...

— Tu sais, même ta vulgarité ne peut pas me toucher, dis-je.

— Moi, si, intervint Stark. Tu ne devrais pas être en train d'arracher les ailes des mouettes ou les pinces des crabes ?

Elle fit comme si elle n'avait rien entendu et s'approcha de moi.

— Alors, c'est vrai ?

— Quoi donc ? Que tu es une sacrée plaie ?

— Ça, c'est sûr ! railla Stark.

— Si c'est vrai, insista Aphrodite, tu dois le lui dire. Je ne veux plus l'entendre chialer.

Elle agita son iPhone pour ponctuer ses mots.

— Bon sang, tu te conduis comme une folle ! Tu as besoin d'une thérapie par le shopping ou quoi ? De quoi tu parles ? demandai-je en découpant chaque mot, comme si je m'adressais à une étrangère apprenant l'anglais.

— Alors, tu confirmes ? Tu ne pars pas avec nous demain ?

— Oh, fis-je, mal à l'aise, me demandant pourquoi je me sentais coupable. Oui, c'est vrai.

— Génial. Super ! Dans ce cas, tu vas lui dire toi-même.

— À qui ?

— À Jack. Au téléphone. Il va fondre en larmes et bousiller son maquillage, ce qui le fera pleurer encore plus fort. Et je ne veux rien avoir à faire avec ça.

Sur ce, elle me tendit son téléphone. Jack répondit, gentil, mais sur la défensive.

— Aphrodite, si tu as l'intention de dire quelque chose de méchant sur le rituel, alors je préfère que tu te taises. De toute façon, je ne t'écouterai pas parce que je suis occupé à chanter. Voilà.

— Euh, salut, Jack !

Je vis presque son sourire radieux.

— Zoey ! Salut ! C'est trop cool que tu ne sois pas morte, ou presque morte ! Est-ce qu'Aphrodite t'a dit ce qu'on avait préparé pour ton retour, demain ? Oh, ma déesse, ça va être trop cool !

— Non, Jack. Aphrodite ne m'a rien dit parce que...

— Super ! C'est moi qui vais le faire ! On va organiser un rituel de célébration des Fils et Filles de la Nuit, parce que ce n'est pas rien, que tu sois réparée !

— Jack, je dois te...

— Non, non, non, tu ne dois rien faire du tout. Je m'occupe de tout. J'ai même prévu le repas, enfin, avec l'aide de Damien, bien sûr. Je...

Je soupirai, attendant qu'il reprenne son souffle.

— Tu vois, je te l'avais dit, chuchota Aphrodite. Il va pleurer quand tu feras éclater sa petite bulle rose.

— ... et le mieux, c'est que, quand tu entreras dans

le cercle, je chanterai *Defying gravity* ! Tu sais, comme Kurt, dans la série *Glee*. Alors, tu en penses quoi ?

Je fermai les yeux, pris une grande inspiration et dis :

— Je pense que tu es vraiment un très bon ami.

— Ooooh ! Merci !

— Mais il faudra repousser le rituel.

— Le repousser ? Pourquoi ? demanda-t-il d'une voix tremblante.

— Parce que...

J'hésitai. Bon sang, Aphrodite avait raison, il allait éclater en sanglots. Stark me prit doucement le téléphone des mains et mit le haut-parleur.

— Salut, Jack.

— Salut, Stark !

— Tu pourrais me rendre un service ?

— Oh, ma déesse ! Bien sûr !

— Je ne me suis pas encore remis de mon expédition dans l'Au-delà. Aphrodite et Darius vont rentrer demain, mais Zoey va rester avec moi sur Skye le temps que je reprenne des forces. Alors, tu pourrais dire à tout le monde qu'on ne rentrera pas à Tulsa avant une semaine ou deux ? Tu veux bien faire passer le mot et arrondir les angles pour moi ?

Je retins mon souffle, m'attendant à une crise de larmes, mais Jack répondit avec une maturité étonnante.

— Absolument. Ne t'en fais pas, Stark. Je mettrai Damien, Lenobia et tout le monde au courant. Et, Zoey, pas de problème ! On peut repousser. Ça me donnera le temps de répéter ma chanson et de trouver le moyen de faire des épées en origami pour la décoration. Je pensais les accrocher avec des fils de pêche transparents pour donner l'impression qu'elles défient la gravité, tu vois ?

Je souris et articulai un « merci » muet pour Stark.

— Ça m'a l'air parfait, Jack, dit-il. Je ne me fais pas de souci si c'est toi qui te charges de la décoration et de la musique.

J'entendis le rire joyeux de Jack.

— Ce rituel va être génial, tu verras! Stark, remets-toi bien. Oh, et Aphrodite, ne va pas croire que je vais m'effondrer au moindre changement de programme.

— Comment savais-tu ce que je pensais ? demanda-t-elle, les sourcils froncés.

— Je suis gay. Je suis intuitif.

— Si tu le dis... Allez, salut ! Je n'ai presque plus de batterie.

Aphrodite arracha son téléphone des mains de Stark et raccrocha.

— Ça s'est mieux passé que tu ne le craignais, lui fis-je remarquer.

— Oui, en effet. Je me demande comment l'autre va le prendre, vu qu'elle est encore pire que Mlle Jack.

— Arrête, Aphrodite ! Damien n'est pas efféminé. Sois plus sympa avec eux.

— Oh, je t'en prie. Je ne parlais pas de tes gays. Je parlais de Neferet.

— Neferet ! lâchai-je d'une voix aiguë, son seul nom me faisant horreur. Qu'est-ce que tu as entendu sur elle ?

— Rien, et c'est justement ce qui m'inquiète. Mais que ça ne t'empêche pas de dormir, Zoey. Après tout, tu seras là, sur Skye, avec des millions de mecs costauds – en plus de Stark – pour te protéger, pendant que nous autres mortels retrouverons la bataille épique du bien contre le mal, de la Lumière contre l'Obscurité, et ainsi de suite, *ad nauseam.*

Elle fit volte-face et commença à gravir les marches du château.

— Aphrodite, une simple mortelle ? Elle est tellement insupportable que ça en est surhumain, commenta Stark.

— Je t'ai entendu ! lança-t-elle. Oh, et à propos, Zoey, j'ai eu une urgence concernant les bagages, alors j'ai confisqué la valise que tu t'es achetée l'autre jour. Salut, je vais continuer de ranger mes affaires. À plus tard, les paysans.

Elle claqua la lourde porte en bois, ce qui n'était pas une mince affaire.

— Elle est fantastique ! dit Darius en souriant avec fierté avant de lui emboîter le pas.

— Plusieurs mots en « f » me viennent à l'esprit, mais « fantastique » n'en fait pas partie, grommela Stark.

— Moi, je dirais plutôt folle et frustrée, enchaînai-je.

— Et moi, fumier.

— Fumier ?

— Oui, je n'ai pas trouvé mieux.

Je m'esclaffai.

— Tu essaies de me changer les idées pour que je ne pense pas à Neferet, hein ?

— Ça marche ?

— Pas vraiment.

Il passa le bras autour de mes épaules.

— Alors, il va falloir que je m'améliore.

Bras dessus bras dessous, nous nous dirigeâmes vers le château. Je laissai Stark m'amuser avec sa liste de mots en « f », et m'efforçai de retrouver le bonheur que j'avais ressenti tout à l'heure. Je me répétais que Neferet était à un monde d'ici – et que les adultes qui l'entouraient pouvaient s'occuper d'elle.

Alors que Stark me tenait la porte, quelque chose attira mon regard vers le haut et je vis le drapeau qui flottait au-dessus du domaine de Sgiach. Je m'arrêtai, appréciant la beauté du puissant taureau noir et de la silhouette scintillante de la déesse représentés dessus. À cet instant, une traînée de brume s'éleva de l'eau, altérant ma vision du drapeau et transformant le taureau noir en un taureau blanc fantomatique, pendant que l'image de la déesse disparaissait.

J'en eus la chair de poule.

— Que se passe-t-il ? demanda Stark, sur le qui-vive.

Je clignai des yeux. Le brouillard se dissipa et le drapeau reprit son aspect normal.

— Rien. Je suis parano, c'est tout.

— Hé, je suis là. Ne t'inquiète pas, je te protégerai.

Il me prit dans ses bras et me serra contre lui, éloignant le monde extérieur et ce que mon instinct essayait de me dire.

CHAPITRE CINQ

Lucie

— Tu n'es pas toi-même, tu le sais ?

Lucie regarda Kramisha.

— Je ne fais rien, je suis juste assise, et je me mêle de mes affaires, moi, dit-elle d'un ton lourd de sous-entendus. En quoi est-ce bizarre ?

— Tu as choisi le coin le plus sombre et le plus sinistre. Tu as soufflé les bougies pour qu'il fasse encore plus noir. Et tu te morfonds tellement que je t'entends presque penser.

— Tu ne peux pas m'entendre penser, répliqua Lucie d'une voix dure.

Kramisha écarquilla les yeux.

— Bien sûr que non. Pas la peine de t'énerver. J'ai dit « presque ». Je ne suis pas Sookie Stackhouse, la fille qui lit dans les pensées dans la série *True Blood*. Et puis même si c'était le cas, je n'écouterais pas ce que tu penses. Ce serait impoli, et ma maman m'a appris les bonnes manières.

Elle s'assit à côté de Lucie sur le banc en bois.

— Tu veux bien te détendre ? Je dois te parler de quelque chose avant cette réunion du conseil qui s'annonce franchement barbante.

— Ça fait partie de nos obligations. Je suis une grande prêtresse ; tu es Poétesse Lauréate. Nous sommes tenues d'assister aux réunions du conseil, dit Lucie avant de souffler bruyamment en courbant les épaules. Punaise, je suis contente que Zoey rentre demain !

— Oui, oui, je comprends. Ce que je ne comprends pas, c'est ce qui t'a perturbée au point que je ne te reconnais plus.

— Mon petit ami a perdu la tête et a disparu de la face de la terre. Ma meilleure amie a failli mourir dans l'Au-delà. Les novices rouges – les autres – sont toujours dans la nature à faire je ne sais quoi, probablement s'attaquer aux gens. Et, par-dessus le marché, je suis censée me comporter comme une grande prêtresse, et je ne sais pas comment m'y prendre. Tu ne crois pas qu'il y a de quoi se sentir perturbée ?

— Oui, c'est vrai. Mais ça n'explique pas pourquoi je n'arrête pas d'écrire des poèmes sur le même thème flippant. Ils parlent de toi et de bêtes, et je veux savoir ce que ça signifie.

— Kramisha, je ne sais pas de quoi tu parles.

Lucie commença à se lever, mais Kramisha sortit de son grand sac un bout de papier violet, couvert de son écriture. Lucie souffla, l'air exaspéré, se rassit et tendit la main.

— Bon, fais voir !

— Les deux sont écrits sur ce papier, l'ancien et le nouveau. Quelque chose me dit que tu as besoin qu'on te rafraîchisse la mémoire...

Lucie ne dit rien. Elle prit tout son temps pour lire le premier poème. Non pas parce qu'elle avait besoin qu'on lui rafraîchisse la mémoire. Au contraire, chaque vers de ce poème était gravé dans son esprit.

La Rouge pénètre dans la Lumière
Revêt son armure pour
Le combat apocalyptique.

L'Obscurité se cache sous différentes formes
Vois par-delà la forme, la couleur, les mensonges
Et les tempêtes émotionnelles.

Allie-toi avec lui ; paie avec ton cœur
Même si la confiance ne peut être donnée
À moins que tu ne sépares l'Obscurité.

Vois avec ton âme, pas avec tes yeux
Parce que pour danser avec des bêtes
Tu dois pénétrer leur déguisement.

Lucie se força à ne pas pleurer ; son cœur était meurtri, brisé. Le poème disait vrai. Elle avait vu Rephaïm avec son âme, pas avec ses yeux. Elle avait écarté l'Obscurité et lui avait fait confiance. Elle l'avait accepté, et elle avait payé cher son alliance avec la bête. Elle payait encore.

À contrecœur, elle passa au second poème, le nouveau. Se rappelant qu'elle ne devait pas réagir, ne rien laisser paraître, elle commença à lire :

Les bêtes peuvent être belles
Les rêves deviennent désirs
La réalité change avec la raison
Fie-toi à ta vérité
Homme... monstre... mystère... magie
Écoute avec ton cœur
Vois sans mépris
L'amour ne perdra pas
Fais-lui confiance
Sa promesse est une preuve
Le test c'est le temps
La foi libère
Si on a le courage de changer.

Lucie avait la bouche sèche.

— Désolée, je ne peux pas t'aider. Je ne sais pas de quoi ça parle.

Elle voulut rendre le papier à Kramisha, mais la poétesse avait croisé les mains sur la poitrine.

— Tu mens très mal, Lucie.

— Ce n'est pas très malin de traiter sa grande prêtresse de menteuse, dit Lucie avec une pointe de méchanceté.

Kramisha secoua la tête.

— Qu'est-ce qui t'arrive ? Je vois bien que quelque chose te bouffe de l'intérieur ! Si tu étais toi-même, tu accepterais qu'on en discute. Tu essaierais de trouver une solution.

— Je ne comprends rien à ces poèmes ! éclata Lucie. Ce ne sont que des métaphores, des symboles et des prédictions bizarres et confuses !

— C'est faux ! On a déjà élucidé des poèmes, et ça nous a permis entre autres d'atteindre Zoey dans l'Au-delà pour l'aider. Une partie du premier poème s'est réalisée. Tu as rencontré les bêtes – les taureaux. Tu n'es plus la même depuis. Et maintenant, j'ai encore écrit un poème sur elles. Et je suis sûre que tu en sais plus que tu ne veux bien l'admettre.

Lucie sauta sur ses pieds.

— Mêle-toi de tes affaires, Kramisha. Je ne veux plus entendre parler de ces histoires de bêtes !

Sur ce, elle sortit de l'alcôve et fonça droit sur Dragon Lankford.

— Hé, ho, que se passe-t-il ? demanda celui-ci en soutenant la jeune fille, qui avait failli tomber. Quelles bêtes ?

— Deux poèmes me sont venus, expliqua Kramisha, qui les avait rejoints, le premier le jour où Lucie a vu les taureaux, le second, tout à l'heure. Elle ne veut pas y prêter attention.

— C'est pas vrai ! protesta Lucie. Je veux juste m'occuper moi-même de mes affaires sans que l'univers entier ne vienne y fourrer son nez !

— Et je suis l'univers entier, moi ? demanda Dragon.

Elle se força à soutenir son regard.

— Non, bien sûr que non.

— Es-tu d'accord avec moi pour dire que les poèmes de Kramisha sont importants ?

— Ouais…

— Alors, tu ne peux pas les ignorer, conclut le maître d'armes en posant la main sur son épaule. Je sais ce que c'est de vouloir protéger sa vie privée ; seulement, dans ta situation, il y a des choses plus importantes.

— Je le sais, mais je peux me débrouiller toute seule.

— Tu ne t'es pas débrouillée toute seule avec les taureaux, intervint Kramisha.

— Ils sont partis, non ? Alors, j'estime que je m'en suis bien sortie.

— Lucie, je t'ai vue juste après ton combat contre le taureau. Tu étais gravement blessée. Si tu avais pris en compte l'avertissement de Kramisha, tu n'aurais pas autant souffert. Et puis, n'oublions pas qu'un Corbeau Moqueur est réapparu. Il pourrait même s'agir de Rephaïm. Ce monstre est toujours dans la nature, et il représente un danger pour nous tous. Alors, tu dois comprendre, jeune prêtresse, qu'un avertissement contre toi ne peut rester secret, car il concerne aussi la vie d'autres gens.

Lucie regardait Dragon dans les yeux. Ses mots étaient forts ; son ton était bienveillant. Mais était-ce de la suspicion et de la colère qu'elle lisait dans son expression, ou simplement la douleur qui l'étreignait depuis la mort de sa femme ?

Profitant de son hésitation, Dragon continua :

— L'une de ses bêtes a tué Anastasia. Nous ne pouvons permettre qu'un autre innocent soit touché par ces créatures de l'Obscurité. Tu sais que j'ai raison, Lucie.

— ... je sais, bégaya-t-elle, à court de mots.

« Rephaïm a tué Anastasia le soir où Darius lui a tiré dessus en plein vol. Personne ne l'oubliera jamais – je ne l'oublierai jamais, surtout maintenant. Cela fait des semaines que je ne l'ai pas vu, mais notre Empreinte est toujours là, même si je n'ai rien senti venant de lui. »

C'est cette absence de nouvelles qui lui fit prendre sa décision.

— OK, vous avez raison. J'ai besoin d'aide.

« Peut-être fallait-il qu'il en soit ainsi, pensa-t-elle en tendant les poèmes à Dragon. Peut-être qu'il découvrira mon secret, et alors, tout sera détruit : Rephaïm, notre Empreinte, et mon cœur. Mais, au moins, ce sera fini. »

Pendant que Dragon lisait les poèmes, Lucie vit son visage s'assombrir. Lorsqu'il la regarda, son inquiétude ne faisait aucun doute.

— Le taureau que tu as appelé en second, le noir qui a vaincu le taureau maléfique, quel genre de lien avais-tu avec lui ?

Lucie essaya de cacher à quel point elle était soulagée que Dragon se concentre sur les taureaux plutôt que sur Rephaïm.

— Je ne sais pas si on peut vraiment parler de lien, mais je l'ai trouvé magnifique. Il était noir, mais il n'y avait aucune Obscurité en lui. Il était incroyable – comme le ciel nocturne, ou la terre.

— La terre..., commença Dragon, pensif. Si le taureau te rappelle ton élément, peut-être est-ce suffisant pour que vous restiez connectés.

— Mais nous savons qu'il est bon, intervint Kramisha. Il n'y a pas de mystère à ce sujet. Les poèmes ne peuvent pas parler de lui.

— Et... ? fit Lucie, sans parvenir à dissimuler son irritation.

Kramisha était comme un chien qui a trouvé un os, et qui ne veut pas le lâcher.

— Et les poèmes, le dernier en particulier, parlent de se fier à la vérité. Tu peux faire confiance au taureau noir, nous savons déjà qu'il est bon. Pourquoi aurais-tu besoin d'un poème pour te l'expliquer ?

— Je n'en sais rien, je me tue à te le dire !

— Je ne pense pas qu'ils parlent du taureau noir, c'est tout.

— De quoi pourraient-ils parler ? Je ne connais pas d'autres bêtes, répondit Lucie à toute vitesse, comme si cela pourrait effacer son mensonge.

— Tu as dit que Dallas avait une nouvelle affinité étrange, et qu'il semblait avoir perdu la raison, fit Dragon. C'est bien ça ?

— Oui, en gros.

— La référence à la bête peut symboliser Dallas. Le poème te conseille peut-être de te fier à l'humanité qu'il reste en lui.

— Je ne sais pas. Il était vraiment dans un sale état la dernière fois que je l'ai vu, carrément cinglé. Il disait des trucs trop bizarres sur le Corbeau Moqueur qu'il a vu !

— La réunion commence ! lança à cet instant Lenobia depuis la porte ouverte de la chambre du Conseil.

— Ça te dérange si je garde ça ? demanda Dragon en désignant la feuille alors qu'ils s'engageaient dans le couloir. J'aimerais en faire une copie pour étudier ces poèmes de plus près.

— D'accord, dit Lucie.

— Eh bien, je suis contente que vous veniez en renfort, Dragon, fit Kramisha.

— Moi aussi, prétendit Lucie, s'efforçant de paraître crédible.

— Je ne montrerai pas ces poèmes à tout le monde, reprit Dragon. Seulement aux vampires qui pourraient nous aider à les décoder. Je comprends que tu souhaites préserver ta vie privée.

— J'en parlerai à Zoey dès son retour, demain.

Dragon fronça les sourcils.

— Je pense que tu devrais en effet en parler à Zoey, mais malheureusement elle ne rentrera pas à la Maison de la Nuit demain.

— Quoi ? Pourquoi ?

— Apparemment, Stark n'est pas en état de voyager, alors Sgiach leur a donné la permission de rester sur Skye pour une durée indéterminée.

— C'est Zoey qui vous a dit ça ? demanda Lucie, étonnée que sa meilleure amie eût appelé Dragon, et pas elle.

— Non, elle et Stark l'ont annoncé à Jack.

— Oh, pour le rituel de célébration..., fit Lucie en hochant la tête, soulagée que Zoey ne lui ait rien caché.

Jack était tout excité depuis qu'il s'était autoproclamé responsable de la musique, de la nourriture et des décorations. Il l'avait sans doute appelée avec une liste de questions du genre : « Quelle est ta couleur préférée ? » et : « Tu préfères les Doritos ou les chips ? »

— Il est complètement obsédé par ce rituel. Je parie qu'il a pété les plombs quand il a appris que Zoey ne rentrait pas demain.

— À vrai dire, il compte profiter du retard pour continuer à répéter sa chanson, et pour décorer, dit Dragon.

— Que la déesse nous vienne en aide ! lança Kramisha. S'il essaie d'accrocher des arcs-en-ciel et des licornes partout, et de nous forcer à porter des boas en plumes, je vais devoir intervenir.

— Des épées en origami, dit Dragon.

— Pardon ? fit Lucie, qui n'était pas sûre d'avoir bien entendu.

Dragon ricana.

— Jack est venu m'emprunter une épée au gymnase pour avoir un modèle. En l'honneur de Stark, il veut suspendre des épées en papier à des fils de pêche, pour que ce soit comme dans la chanson.

— Parce qu'elles défieront la gravité ! gloussa Lucie.

Elle adorait Jack. Il était trop mignon.

— J'espère qu'il ne les fera pas en papier rose, dit Kramisha. Ce serait affreux !

Ils avaient atteint la porte de la salle déjà pleine quand Lucie entendit la réponse de Dragon :

— Pas en rose. Je l'ai vu porter une rame de papier violet.

LIBÉRÉE

Lucie souriait encore quand Lenobia ouvrit la séance. Les jours suivants, elle se souviendrait de ce sourire et se raccrocherait à l'image de Jack en train de fabriquer des épées en papier violet sans cesser de chanter, voyant toujours le bon côté des choses, éternellement gentil, éternellement heureux, et, plus important, éternellement en sécurité.

CHAPITRE SIX

Jack

— Duchesse, que se passe-t-il, ma jolie ? Pourquoi es-tu aussi énervée aujourd'hui ?

Jack retira la pile de papier à origami coincée sous le labrador blond et la posa sur le tabouret en bois qu'il utilisait comme table d'extérieur. Le gros chien souffla, tapa de la queue sur le sol, et se rapprocha du garçon, qui soupira et lui lança un regard aussi affectueux qu'exaspéré.

— Pourquoi tu me colles comme ça ? Je ne fais que décorer.

— C'est vraiment de la dépendance affective, commenta Damien en s'asseyant dans l'herbe à côté de son ami.

Jack posa la feuille qu'il était en train de plier et caressa la tête soyeuse de la chienne.

— Tu crois qu'elle sent que S-T-A-R-K n'est pas au sommet de sa forme ? Tu penses qu'elle sait qu'il ne rentre pas demain ?

— Peut-être. Elle est d'une intelligence exceptionnelle. Mais, à mon avis, elle s'inquiète plutôt de te voir grimper sur ce truc…

Jack désigna l'échelle de deux mètres cinquante, appuyée contre un arbre.

— Oh, vous n'avez pas à vous inquiéter, Duchesse et toi. Cette échelle est parfaitement stable. Et puis, je ne vais pas monter tout en haut. Les branches de ce pauvre arbre pendent vers le bas depuis qu'*il* est sorti de terre juste en dessous, conclut-il dans un murmure.

Damien se racla la gorge et jeta un regard méfiant sur le grand chêne sous lequel ils étaient assis.

— Ne te mets pas en colère, mais je dois te parler du lieu que tu as choisi pour le rituel de célébration de Zoey.

Jack leva la main ouverte, signal universel pour dire « arrête ! ».

— Je sais que certaines personnes vont avoir un problème avec ce lieu. Mais mes arguments en sa faveur sont inattaquables.

— Tu as toujours les meilleures intentions, dit Damien en lui prenant la main. Mais, cette fois, je crois que tu es le seul à voir les aspects positifs de cet endroit. Le professeur Nolan et Loren Blake ont été tués ici ; Kalona est sorti de terre ici, déchirant le sol et coupant l'arbre en deux. Je ne trouve pas que ce soit un endroit très… festif.

Jack posa sa main libre sur celle de Jack.

— C'est un lieu de pouvoir, non ?

— Oui.

— Et le pouvoir n'est ni bon ni mauvais. Il prend

les caractéristiques des forces extérieures qui s'en saisissent. Tu es d'accord ?

Damien réfléchit, et hocha la tête à contrecœur.

— Oui, je suppose que tu as raison.

— Je pense que le pouvoir de cet endroit – l'arbre brisé et cette zone, près du mur Est – a été mal employé. Il est temps qu'il soit utilisé par la Lumière et le bien. Je veux lui donner cette chance ; je dois le faire. Quelque chose en moi me dit que je dois être là pour préparer le rituel de célébration de Zoey, même si elle et Stark arrivent plus tard.

Damien soupira.

— Tu sais que je ne te demanderai jamais d'ignorer ton instinct.

— Alors, tu me soutiens ? Même si tout le monde dit que je suis complètement cinglé ?

Damien lui sourit.

— Personne ne prétend ça. Ils soutiennent juste que ton excitation à l'idée d'organiser ce rituel a altéré ton jugement.

Jack gloussa :

— Je parie qu'ils n'ont pas utilisé ces mots-là !

— Leur formulation, bien qu'inférieure, était synonyme.

— Voilà bien mon Damien, le génie des mots !

— Et voilà bien mon Jack, l'optimiste ! dit Damien avant de l'embrasser. Fais ce que tu as à faire ; je suis sûr que Zoey appréciera tes efforts à son retour. Seulement, ajouta-t-il avec un sourire triste, tu es au courant qu'elle ne rentrera peut-être pas avant un bon moment ? Selon Aphrodite, elle n'est plus elle-même

– elle ne reste pas vraiment sur Skye à cause de Stark, mais parce qu'elle s'est retirée du monde.

— Je n'y crois pas, Damien !

— Je n'ai pas envie d'y croire non plus, mais le fait est que Zoey ne rentre pas avec Aphrodite et Darius, et qu'elle n'a parlé à personne de son retour. Et puis il y a Heath. Quand elle reviendra à Tulsa, elle devra affronter son absence.

— C'est terrible…

Ils se regardèrent dans les yeux, se comprenant parfaitement.

— Perdre quelqu'un qu'on aime autant doit être affreux, reprit Damien. Ça l'a forcément changée.

— Bien sûr, mais elle reste notre Zoey. J'ai le pressentiment qu'elle rentrera plus tôt que tu ne le penses.

— J'espère que tu ne te trompes pas, fit Damien. J'aime ton attitude positive.

Jack lui fit un grand sourire.

— Merci !

— Cela dit, je ne suis pas sûr que ce soit une bonne idée d'accrocher tes épées dès maintenant. Et s'il pleut demain ?

— Oh, je ne vais pas toutes les accrocher, idiot ! Je fais juste un essai.

— C'est pour ça que tu as une épée appuyée contre la table ? Ne devrait-elle pas pointer vers le bas ?

Jack suivit le regard de Damien jusqu'à la longue épée en argent, lame vers le haut, luisant à la lumière vacillante du gaz qui éclairait l'école la nuit.

— Dragon m'a donné des instructions très strictes, que j'ai essayé d'écouter même si j'étais distrait par sa tristesse. Je crois qu'il ne va pas bien, dit Jack d'une voix étouffée, comme s'il ne voulait pas que Duchesse l'entende.

— Je pense la même chose que toi, soupira Damien.

— Il m'a dit de ne pas enfoncer la lame dans le sol car cela risquait de l'émousser, ou un truc comme ça ; je ne sais plus trop, j'étais gêné de l'embêter, et je ne pensais qu'à ses cernes.

— Il ne doit pas dormir beaucoup… mais, tôt ou tard, il va falloir qu'il surmonte la mort d'Anastasia. Je suis désolé de dire ça, mais on ne peut rien y changer…

Il se tut un instant avant d'ajouter :

— En tout cas, ton idée est excellente ! Tes origamis sont très réalistes.

— Tu le penses vraiment ? se réjouit Jack.

Damien le prit dans ses bras et le serra contre lui.

— Absolument. Tu es un décorateur très doué.

— Et toi, tu es le meilleur petit ami au monde.

— Ce n'est pas difficile quand on est avec toi, dit Damien en riant. Hé, tu as besoin d'aide pour faire tes pliages ?

Cette fois, ce fut Jack qui éclata de rire.

— Non, surtout pas ! Tu ne sais même pas faire des paquets cadeaux… À la place, dit-il en regardant Duchesse d'un air entendu, tu pourrais aller promener la chienne. Elle ne veut pas me laisser tranquille, et elle abîme mes feuilles.

— OK, sans problème. Je comptais aller faire un footing ; Duchesse va faire quelques tours de piste avec moi. Après, elle sera trop épuisée pour te harceler.

La chienne se faufila entre eux comme si elle avait compris qu'ils parlaient d'elle. Elle remuait la queue en leur donnant de grands coups de langue.

— Oui, ma jolie, on t'aime aussi ! dit Jack avant de lui embrasser le museau.

— Viens, on va faire un peu d'exercice pour rester sveltes et plaire à Jack, dit Damien en tirant sur la laisse.

Duchesse le suivit à contrecœur.

— Ne t'en fais pas, il te ramènera vite, dit Jack.

— Oui, on le reverra bientôt, Duchesse, promit Damien.

— Hé, leur lança Jack, je vous aime tous les deux !

Damien se retourna, prit la patte de Duchesse, et l'agita en criant : « Nous aussi, on t'aime ! »

Après leur départ, Jack termina la dernière des cinq épées. « Une pour chaque élément, pensa-t-il. Je vais les accrocher pour voir ce que ça donne. »

Tout en faisant passer le fil de pêche dans les épées, il regardait vers le haut pour trouver l'endroit idéal. Il n'eut pas à chercher bien longtemps : au moment où Kalona était sorti de terre, le tronc épais avait presque été coupé en deux, si bien que les branches basses frôlaient à présent le sol.

— La première doit aller tout là-haut, dit Jack en regardant l'une des plus grosses branches, qui ressemblait à un bras protecteur.

Il installa l'échelle et prit la première épée.

— Oups, j'ai failli oublier ! Il faut que je répète, dit-il en allumant son iPhone.

La voix de Rachel résonna, forte et claire.

Quelque chose a changé en moi
Quelque chose n'est plus pareil
J'en ai assez de respecter les règles
Du jeu de quelqu'un d'autre...

Jack fit une pause, un pied sur le premier barreau de l'échelle, et lorsque Kurt se mit à chanter, il chanta avec lui, imitant sa belle voix de ténor.

Trop tard pour anticiper
Trop tard pour se rendormir...

Il gravit l'échelle, s'imaginant qu'il montait les marches du Radio City Music Hall, où la troupe de *Glee* avait donné un spectacle au printemps précédent.

Il est temps que j'écoute mon instinct
Je ferme les yeux : et je saute !

Une fois en haut, il entama le refrain avec les deux chanteurs, tout en attachant le fil aux branches dénudées.

Soudain, un mouvement au pied de l'arbre attira son attention. Il en resta bouche bée. Il était sûr de voir une femme splendide. L'image était floue, mais petit à petit, la femme devint plus nette, plus grande, plus distincte.

— Nyx ? lâcha Jack, stupéfait.

Comme si un voile avait été soulevé, la femme était

désormais parfaitement visible. Elle leva la tête et sourit à Jack, aussi charmante qu'elle était maléfique.

— Oui, mon petit Jack, tu peux m'appeler Nyx.

— Neferet ! Que faites-vous là ?

— À vrai dire, je suis là pour toi.

— Moi ?

— Oui. Vois-tu, j'ai besoin de ton aide. Je sais à quel point tu aimes aider les autres. N'aimerais-tu pas faire quelque chose pour moi ? Je te promets que ça en vaut la peine.

— Comment ça ? demanda Jack d'une voix suraiguë qui lui faisait horreur.

— Je suis restée trop longtemps loin des novices de la Maison de la Nuit. Peut-être ai-je oublié ce qui leur fait battre le cœur. Tu m'aiderais, me guiderais, tu me montrerais. En échange, je te récompenserais. Pense à tes rêves, à ce que tu aimerais faire de ta vie après ta Transformation. Je pourrais les réaliser.

Jack sourit et écarta les bras.

— Mais je vis déjà mon rêve ! Je suis là, dans cet endroit merveilleux, avec des amis qui sont devenus ma famille. Que pourrais-je désirer de plus ?

L'expression de Neferet se durcit.

— Ce que tu pourrais désirer de plus ? demanda-t-elle d'un ton glacial. Et que dirais-tu de diriger cet « endroit merveilleux » ? La beauté est éphémère ; des amis et la famille non plus. Seul le pouvoir dure toujours.

— Non, l'amour dure toujours, répondit Jack.

Neferet éclata d'un rire moqueur.

— Ne fais pas l'enfant ! Je te propose bien plus que l'amour.

Jack regarda Neferet – la regarda vraiment. Elle avait changé, et au fond de lui il savait pourquoi. Elle avait accepté le mal. Complètement, totalement. Il l'avait compris sans même s'en rendre compte. « Il n'y a en elle aucune Lumière, aucune part de moi », dit une voix douce et aimante dans sa tête, et cela lui donna le courage de fixer Neferet droit dans les yeux – des yeux froids couleur d'émeraude.

— Ce n'est pas pour vous vexer, Neferet, mais je ne veux pas de ce que vous me proposez. Je ne peux pas vous aider. Vous et moi ne sommes pas du même côté.

Il commença à descendre.

— Reste où tu es !

Sans que Jack sache comment, son corps obéit à l'ordre de Neferet : c'était comme s'il était prisonnier d'une cage de glace invisible.

— Petit insolent ! Tu te permets de me désobéir ?

Embrasse-moi pour me dire au revoir
Je défie la gravité...

— Oui, répondit-il alors que la voix de Kurt résonnait autour de lui. Parce que je suis du côté de Nyx, pas du vôtre. Alors, laissez-moi partir, Neferet. Je ne vous aiderai pas.

— C'est là que tu te trompes, incorruptible innocent ! Tu viens de prouver que tu allais m'être très utile.

Elle leva les mains et les agita dans les airs.

— Comme je vous l'ai promis, le voilà ! lança-t-elle.

Jack ignorait à qui s'adressait Neferet, mais ses paroles lui donnaient la chair de poule. Impuissant, il la regarda sortir de l'ombre du chêne. Elle s'éloignait de lui en glissant vers l'allée qui conduisait au bâtiment principal de la Maison de la Nuit. Avec un détachement étrange, il remarqua que ses mouvements étaient plus reptiliens qu'humains.

L'espace d'un instant, il crut vraiment qu'elle partait, et il se crut sauvé. Mais lorsqu'elle eut atteint l'allée, elle se retourna vers lui et secoua la tête.

— Tu m'as rendu les choses presque trop faciles, mon garçon, en refusant avec dédain ma proposition.

Elle désigna l'épée du doigt. Les yeux écarquillés, Jack vit quelque chose s'enrouler autour de la poignée. L'épée tourna, tourna, tourna, jusqu'à ce que la pointe soit dirigée en plein sur lui.

— Voici de quoi procéder à votre sacrifice. Voici celui que je n'ai pas pu salir ; prenez-le, et ma dette à votre maître sera remboursée. Mais attendez que l'horloge sonne minuit. Retenez-le jusque-là.

Sans un autre regard pour Jack, elle entra dans le bâtiment.

Le temps parut très long jusqu'à minuit, même si Jack avait fermé son esprit aux chaînes froides et invisibles qui l'emprisonnaient. Il était content d'avoir mis *Defying gravity* en mode répétition. Entendre Kurt et Rachel chanter qu'il fallait surmonter la peur le réconfortait.

Quand l'horloge se mit à sonner, Jack devina ce qui allait se passer. Il savait qu'il ne pouvait rien y faire – que son destin était scellé. Au lieu de se débattre en vain, d'avoir des regrets de dernière minute, de verser des larmes inutiles, il ferma les yeux, inspira profondément puis, avec joie, il se joignit à Kurt et Rachel pour chanter le refrain :

> *Je préfère croire*
> *Défier la gravité*
> *Embrasse-moi pour me dire au revoir*
> *Je défie la gravité*
> *Je crois que je vais essayer*
> *De défier la gravité*
> *Et tu ne me feras pas tomber !*

Sa belle voix de ténor résonnait toujours entre les branches du chêne brisé quand la magie de Neferet le fit tomber de l'échelle. Il s'empala sur l'épée ; mais, alors que la lame transperçait son cou, avant que la douleur, la mort, l'Obscurité ne le touchent, son esprit jaillit hors de son corps.

Il ouvrit les yeux. Il se tenait dans une superbe prairie, au pied d'un arbre qui ressemblait exactement au chêne que Kalona avait fendu, sauf que celui-ci était intact et vert. Une femme vêtue d'une robe argentée se tenait à son côté. Elle était si belle que Jack pensa qu'il ne se lasserait jamais de l'admirer.

— Bonjour, Nyx, dit-il doucement.

— Bonjour, Jack, répondit-elle avec un sourire bienveillant.

— Je suis mort, n'est-ce pas ?

Le sourire de la déesse ne vacilla pas.

— Oui, mon enfant magnifique, aimant et pur.

— Ça n'a pas été trop terrible de mourir.

— Tu verras que ça ne l'est pas.

— Damien va me manquer.

— Tu le retrouveras. Certaines âmes ne cessent jamais de se chercher. C'est ce que feront les vôtres ; je te donne ma parole.

— Je m'en suis bien sorti sur terre ?

— Tu as été parfait, mon fils.

Alors, Nyx, la déesse de la Nuit, ouvrit grands ses bras. Pendant qu'elle le serrait contre elle, ce qu'il restait en lui de douleur mortelle et de tristesse quitta son esprit, n'y laissant que de l'amour. Et Jack connut un bonheur parfait.

CHAPITRE SEPT

Rephaïm

La texture de l'air se transforma juste avant que son père n'apparaisse.

Rephaïm avait su que Kalona était revenu de l'Au-delà au moment même où cela s'était produit. Comment aurait-il pu l'ignorer ? Il avait été avec Lucie au moment où elle avait senti que Zoey était de retour ; en même temps, il avait perçu la présence de son père.

Lucie... Cela faisait presque quinze jours qu'il ne l'avait pas vue, qu'il ne lui avait pas parlé, ne l'avait pas touchée. Une éternité !

Même s'il devait vivre encore un siècle, il n'oublierait pas ce qui s'était passé entre eux. Le garçon dans la fontaine, c'était lui. C'était insensé, et pourtant vrai. Il avait touché Lucie et avait imaginé, le temps d'un battement de cœur, ce qu'il aurait pu vivre.

Il aurait pu l'aimer.

Il aurait pu la protéger.

Il aurait pu choisir la Lumière, et non l'Obscurité.

Hélas, tout cela était impossible.

Il était l'enfant de la haine et de la luxure. Il était un monstre. Ni un humain, ni un immortel, ni une bête : un monstre.

Les monstres ne rêvent pas. Les monstres ne désirent rien d'autre que le sang et la destruction. Les monstres ne connaissent pas – ne peuvent pas connaître – l'amour ou le bonheur : ils ne sont pas nés avec cette capacité.

Alors, pourquoi ce vide terrible dans son âme depuis que Lucie était partie ? Pourquoi sans elle, ne se sentait-il qu'à moitié vivant ?

Et pourquoi voulait-il être meilleur, plus fort, plus sage, et bon, vraiment bon pour elle ?

Était-il en train de devenir fou ?

Il faisait les cent pas sur le balcon du manoir désert de Gilcrease. Il était minuit passé et le parc du musée était tranquille, alors que depuis que le nettoyage avait commencé, après la tempête de glace, les lieux étaient de plus en plus animés pendant la journée.

« Il faudra que je parte et trouve un autre endroit, plus sûr. Je devrais quitter Tulsa et me trouver un bastion dans la nature sauvage de ce pays immense. » Il savait que c'était la solution la plus raisonnable ; pourtant quelque chose le forçait à rester.

Il se disait qu'il espérait simplement que son père reviendrait à Tulsa, et qu'il l'attendrait – pour qu'il lui désigne un but, une direction. Mais tout au fond de son cœur, il connaissait la vérité : il ne voulait pas partir parce que Lucie vivait ici, et même s'il ne pouvait la contacter, elle était proche, et il pouvait l'atteindre s'il osait.

Tandis qu'il continuait ses va-et-vient et s'accablait de reproches, l'air devint lourd, épais, chargé d'un pouvoir immortel que Rephaïm connaissait aussi bien que son propre nom. Quelque chose le tiraillait, comme si la puissance qui flottait dans la nuit se servait de lui comme d'une ancre pour se rapprocher.

Rephaïm rassembla ses forces, physiques et mentales, se concentra sur la magie immortelle et accepta ce lien, se moquant bien qu'il soit douloureux et épuisant, qu'il provoque en lui un sentiment de claustrophobie suffocant.

Au-dessus de lui, le ciel nocturne s'assombrit. Le vent se mit à souffler plus fort, à le fouetter.

Le Corbeau Moqueur tenait bon.

Lorsque le magnifique immortel ailé – Kalona, son père, combattant déchu de Nyx – descendit du ciel et atterrit devant lui, Rephaïm tomba à genoux et s'inclina en signe d'allégeance.

— J'ai été surpris de sentir que tu étais resté ici, dit Kalona, sans autoriser son fils à se lever. Pourquoi ne m'as-tu pas suivi en Italie ?

— J'ai été mortellement blessé, répondit Rephaïm, tête baissée. Je viens seulement de guérir. Il m'a paru plus sage de vous attendre ici.

— Blessé ? Oui, je m'en souviens. Un coup de feu et une chute. Tu peux te lever, Rephaïm.

— Merci, père, fit l'homme-oiseau.

Il se remit debout face à l'immortel, heureux que son visage ne trahisse pas ses émotions. Kalona semblait avoir été malade. Sa peau était cireuse, ses yeux ambrés étaient cernés par des cercles noirs, et semblait avoir maigri.

— Vous allez bien, père ?

— Bien sûr que je vais bien ! Je suis un immortel ! tonna Kalona avant de soupirer et de passer la main sur son visage, las. Elle m'a retenu sous la terre. J'étais déjà blessé, et d'être coincé dans cet élément m'a empêché de guérir avant d'être relâché. Depuis, ma guérison est lente.

— Alors, Neferet vous a emprisonné, dit Rephaïm, prenant soin de garder un ton neutre.

— Oui, mais elle n'y serait pas parvenue aussi facilement si Zoey Redbird n'avait pas attaqué mon esprit, répondit son père avec amertume.

— Et pourtant, la novice vit encore.

— Oui ! rugit Kalona, qui se dressa devant son fils, le forçant à reculer.

Mais aussi rapidement que sa rage s'était enflammée, elle s'éteignit, et il parut fatigué à nouveau. Il poussa un long soupir, et continua avec calme :

— Oui, Zoey est vivante ; cependant je crois qu'elle sera changée à jamais par son expérience dans l'Au-delà, dit-il en regardant au loin. Tous ceux qui passent du temps dans le royaume de Nyx en sortent transformés.

— Ainsi, Nyx vous a permis d'entrer dans l'Au-delà ? ne put s'empêcher de demander Rephaïm.

Il se préparait à essuyer une réprimande, mais Kalona répondit d'une voix contenue, presque douce :

— Oui. Et je l'ai vue. Une fois. Brièvement. C'est à cause de l'intervention de la déesse que ce maudit Stark respire encore.

— Stark a suivi Zoey dans l'Au-delà, et il est en vie ?

— Oui, et pourtant il aurait dû mourir, dit Kalona en se frottant la poitrine d'un air absent. Je parie que ces taureaux qui se mêlent de tout ont un rapport avec sa survie.

— Les taureaux noir et blanc ? La Lumière et l'Obscurité ?

Rephaïm sentit le goût de la bile et de la peur dans sa gorge au souvenir du pelage lisse et sinistre du taureau blanc, de la cruauté infinie de son regard, et de la douleur brûlante que la créature lui avait infligée.

— Que se passe-t-il ? fit Kalona. Pourquoi réagis-tu ainsi ?

— Ils se sont manifestés à Tulsa, il y a à peine une semaine.

— Qu'est-ce qui les a amenés ici ?

Rephaïm hésita, son cœur tambourinant douloureusement dans sa poitrine. Que pouvait-il avouer ? Que devait-il taire ?

— Parle, Rephaïm !

— C'est la Rouge – la jeune prêtresse – qui a appelé les taureaux. Le taureau blanc lui a expliqué comment aider Stark à entrer dans l'Au-delà.

— Comment le sais-tu ? demanda Kalona d'une voix froide comme la mort.

— J'ai assisté à une partie de l'invocation. J'étais si grièvement blessé que je pensais ne pas guérir, ne jamais plus voler. Quand le taureau blanc s'est manifesté, cela m'a donné des forces et m'a attiré vers son cercle. C'est là que je l'ai vu donner des informations à la Rouge.

— Tu étais guéri, et tu n'as pas capturé la Rouge avant qu'elle puisse retourner à la Maison de la Nuit et aider Stark ?

— Je n'ai pas pu, père. Le taureau noir est apparu, et la Lumière a banni l'Obscurité, protégeant la Rouge, répondit Rephaïm en toute honnêteté. À partir de ce moment, je suis resté ici, à reprendre des forces et à vous attendre.

Kalona dévisageait son fils, qui soutint son regard sans ciller. L'immortel hocha lentement la tête.

— Tu as bien fait. Nous n'en avons pas encore fini avec Tulsa. Cette Maison de la Nuit appartiendra bientôt à la Tsi Sgili.

— Neferet est revenue, elle aussi ? Le Conseil Supérieur ne l'a pas arrêtée ?

— Le Conseil Supérieur est composé d'imbéciles naïfs, dit Kalona en riant. La Tsi Sgili m'a fait porter la responsabilité d'événements récents, et m'a puni en me faisant fouetter avant de me bannir. Le Conseil a été leurré.

Sous le choc, Rephaïm secouait la tête. Son père parlait avec légèreté, presque avec humour, mais il avait le regard noir – et son corps était blessé, affaibli.

— Père, je ne comprends pas. Fouetté ? Vous avez laissé Neferet...

Avec une rapidité surhumaine, Kalona saisit son fils à la gorge. L'énorme Corbeau Moqueur fut soulevé du sol comme s'il ne pesait pas plus qu'une de ses plumes.

— Ne commets pas l'erreur de croire que, parce que j'ai été blessé, je suis devenu faible !

— Certainement pas, lâcha Rephaïm dans un sifflement étouffé.

Leurs visages n'étaient qu'à quelques centimètres l'un de l'autre. La colère brûlait dans les yeux ambrés de Kalona.

— Père, je ne voulais pas vous manquer de respect, dit Rephaïm.

Kalona le relâcha, et son fils s'écroula à ses pieds. L'immortel renversa la tête en arrière et écarta les bras comme pour enlacer le ciel.

— Elle me tient toujours prisonnier ! s'écria-t-il.

Rephaïm inspira et se frotta la gorge ; puis, quand les mots de son père pénétrèrent son esprit confus, il posa les yeux sur lui. Les traits de l'immortel étaient tordus, comme s'il était à l'agonie ; son regard était hanté. Rephaïm se releva lentement et l'approcha avec prudence.

— Racontez-moi, père !

Les bras de Kalona retombèrent, mais son visage était toujours tourné vers le ciel.

— Je lui avais fait le serment d'anéantir Zoey Redbird. Or, la novice est vivante. Je n'ai pas tenu parole.

Le sang de Rephaïm se figea.

— Il y avait une punition en cas d'échec.

Ce n'était pas une question, mais Kalona hocha la tête.

— En effet.

— Que devez-vous à Neferet ?

— Elle dominera mon esprit pour toujours.

— Par tous les dieux et les déesses, alors nous sommes perdus ! gémit Rephaïm.

Kalona se tourna vers lui et son fils vit qu'une lueur rusée avait remplacé la rage dans ses yeux.

— À l'échelle de l'éternité, Neferet n'est immortelle que depuis une seconde. Je le suis depuis une période incommensurable. S'il y a une leçon que j'ai apprise pendant tout ce temps, c'est qu'il n'existe rien qui ne puisse être brisé. Rien. Ni le cœur le plus fort ni l'âme la plus pure – pas même le plus solide des serments.

— Vous savez comment vous défaire du contrôle qu'elle exerce sur vous ?

— Non, mais je sais que, si je lui donne ce qu'elle désire le plus, elle sera distraite, et j'en profiterai pour trouver un moyen de me libérer.

— Père, dit Rephaïm d'un ton hésitant, il y a toujours des conséquences quand on rompt un serment. N'est-ce pas trop risqué ?

— Je suis prêt à tout pour me débarrasser de la domination de Neferet.

En décelant la colère froide et mortelle dans la voix de Kalona, Rephaïm eut la gorge serrée. Il savait que, quand son père était dans cet état, lui-même ne pouvait qu'acquiescer, l'aider dans toutes ses entreprises sans réfléchir. Il était habitué aux émotions violentes de Kalona.

Mais il n'était pas habitué à éprouver de la rancœur à leur égard.

Il sentait que l'immortel l'examinait. Il se racla la gorge et dit ce que son père attendait de lui.

— Qu'est-ce que Neferet désire le plus, et comment pouvons-nous le lui donner ?

Le visage de Kalona se détendit un peu.

— La Tsi Sgili désire le pouvoir. Nous allons le lui donner en l'aidant à déclencher une guerre entre humains et vampires. Elle veut se servir de la guerre comme prétexte pour détruire le Conseil Supérieur. Quand il n'existera plus, la société des vampires sera dans le désarroi, et Neferet s'emparera de ses commandes en faisant valoir son titre de Nyx incarnée.

— Mais les vampires sont devenus trop rationnels, trop civilisés pour déclarer la guerre aux humains ! Ils préféreraient encore se retirer de la société plutôt que de les combattre.

— C'est vrai pour la plupart d'entre eux, mais tu oublies la nouvelle race de suceurs de sang que la Tsi Sgili a créée. Ceux-là ne semblent pas avoir les mêmes scrupules.

— Les novices rouges, dit Rephaïm.

— Ah, mais ils ne sont pas tous novices, n'est-ce pas ? Il paraît qu'un autre garçon s'est transformé. Et puis il y a leur grande prêtresse, la Rouge. Je ne suis pas sûre qu'elle soit aussi loyale envers la Lumière que son amie Zoey.

Rephaïm eut l'impression qu'un poing énorme se refermait sur son cœur.

— La Rouge a appelé le taureau noir – la manifestation de la Lumière. Je ne pense pas qu'on puisse la détourner du chemin de la déesse.

— N'as-tu pas dit qu'elle avait aussi appelé le taureau de l'Obscurité ?

— Si, mais de ce que j'en ai vu, ce n'était pas intentionnel.

Kalona éclata de rire.

— D'après Neferet, elle était très différente quand elle est revenue à la vie. La Rouge se délectait de l'Obscurité !

— Et ensuite, elle s'est transformée, comme Stark. Ils sont tous les deux au service de Nyx désormais.

— Non, Stark est au service de Zoey Redbird. Je ne crois pas que la Rouge ait contracté un tel attachement.

Prudent, Rephaïm garda le silence.

— Plus j'y pense, plus cette idée me plaît. Neferet accédera au pouvoir si nous nous servons de la Rouge, et Zoey perdra quelqu'un qui lui est proche. Oui, ça me plaît beaucoup.

Rephaïm tentait d'y voir clair dans le mélange de peur, de panique et de chaos qui avait pris possession de son esprit pour trouver une réponse qui pourrait détourner Kalona de Lucie quand l'air ondula et se transforma. Des ombres profondes frémirent de plaisir. Le regard interrogateur de Rephaïm passa de l'Obscurité qui rôdait dans les coins du balcon à son père.

Kalona hocha la tête et sourit d'un air sombre.

— La Tsi Sgili a payé sa dette à l'Obscurité ; elle a sacrifié la vie d'un innocent qui n'a pu être sali.

Le sang de Rephaïm battait à ses oreilles, et pendant un instant, il fut envahi d'une peur sauvage. Puis il se reprit. « Non, Neferet ne peut pas avoir sacrifié Lucie, qui a été salie par l'Obscurité. Pour l'instant, elle est à l'abri de cette menace. »

— Qui a-t-elle tué ? demanda-t-il sans réfléchir, tant il était soulagé.

— Qu'est-ce que ça peut te faire ?

— C'est juste de la curiosité.

— Je sens un changement en toi, mon fils.

Rephaïm soutint le regard de Kalona.

— J'ai touché la mort du doigt, père. Cette expérience m'a fait réfléchir. Vous devez vous rappeler que je ne partage qu'une part de votre immortalité. Le reste de ma personne est humain, et donc mortel.

Kalona hocha brièvement la tête.

— Il est vrai que j'oublie souvent que l'humanité en toi te fragilise.

— La mortalité, pas l'humanité, rectifia son fils. Je ne suis pas humain, ajouta-t-il avec amertume.

Kalona l'étudia avec attention.

— Comment as-tu réussi à survivre à tes blessures ?

Rephaïm détourna les yeux et répondit aussi sincèrement que possible.

— Je ne suis sûr ni du comment ni du pourquoi.

« Je ne comprendrai jamais pourquoi Lucie m'a sauvé », pensa-t-il.

— Tout est très flou pour moi, continua-t-il.

— Le comment n'a pas d'importance. Quant au pourquoi, c'est évident : tu as survécu pour me servir, comme tu l'as fait toute ta vie.

— Oui, père, répondit Rephaïm machinalement.

Puis, pour cacher le désespoir qu'il entendait dans sa propre voix, il ajouta :

— D'ailleurs, nous ne pouvons rester ici.

L'immortel haussa un sourcil d'un air interrogateur.

— Que dis-tu ?

— Cet endroit, répondit son fils en désignant le parc du Gilcrease, n'est pas sûr. Il y a trop d'humains depuis que la glace a fondu. Il serait peut-être plus sage de quitter Tulsa pendant quelque temps.

— C'est impossible, voyons ! Je t'ai déjà expliqué que je devais distraire la Tsi Sgili afin de me libérer d'elle. Je ne pourrai y arriver qu'ici, en utilisant la Rouge et ses novices. Mais tu as raison de faire remarquer que cet endroit n'est pas adapté.

— Dans ce cas, ne serait-il pas judicieux de s'éloigner de la ville, le temps d'en trouver un autre?

— Pourquoi insistes-tu tant pour partir d'ici ?

Rephaïm inspira profondément.

— Parce que je me suis lassé de cette ville.

— Alors, utilise la force que mon sang t'a léguée ! ordonna Kalona, l'air agacé. Nous resterons à Tulsa aussi longtemps qu'il le faudra pour atteindre mes objectifs. Neferet exige que je sois auprès d'elle ; mais comme elle sait que je ne dois pas être vu, du moins pour l'instant...

Il s'interrompit en grimaçant, furieux d'être sous le joug de la Tsi Sgili.

— Nous nous installerons dès ce soir dans l'immeuble qu'elle a acheté. Bientôt, nous nous mettrons à chasser les novices rouges, et leur grande prêtresse. Tu peux voler à nouveau, non ?

— Oui, père.

— Alors, assez de discussions inutiles ! Envolons-nous et commençons l'ascension vers notre futur, et notre liberté.

Sur ce, l'immortel déplia ses ailes massives et sauta dans le vide. Rephaïm hésita, essayant de réfléchir – de respirer – de comprendre. Dans un coin du balcon, une image vacilla, et le petit esprit blond qui l'avait hanté depuis qu'il était arrivé là, brisé, en sang, se manifesta.

— *Tu ne peux pas le laisser lui faire du mal ! Tu le sais, j'espère ?*

— Pour la dernière fois, va-t'en, apparition ! dit Rephaïm, qui se préparait à suivre son père.

— *Tu dois aider Lucie !*

— Et pourquoi ? Je suis un monstre. Elle ne sera jamais rien pour moi.

La petite fille sourit avec malice.

— *Trop tard ! Elle représente déjà beaucoup pour toi. Et puis, il y a une autre raison pour laquelle tu dois l'aider.*

— Ah bon ? fit Rephaïm avec lassitude.

Elle lui adressa un sourire radieux.

— *La voilà : tu n'es pas qu'un monstre. Tu es en partie humain, et cela signifie qu'un jour, tu mourras. Alors, tu n'emmèneras qu'une seule chose avec toi dans l'éternité.*

— Quoi donc ?

— *L'amour, idiot ! Eh bien, tu vois, tu dois la sauver, ou tu le regretteras à jamais.*

Rephaïm la dévisagea longuement.

— Merci, dit-il tout bas avant de s'élancer dans l'obscurité.

CHAPITRE HUIT

Lucie

— Laissez Zoey tranquille ! Après ce qu'elle a vécu, elle mérite bien des vacances, dit Lucie.

— Si ce n'est que ça, d'accord, dit Érik.

— Qu'est-ce que ça veut dire ?

— Il paraît qu'elle ne compte pas rentrer. Du tout.

— N'importe quoi !

— Tu lui as parlé ?

— Non, et toi ?

— Non.

— À vrai dire, Érik soulève un point intéressant, intervint Lenobia. Personne n'a parlé à Zoey. Jack dit qu'elle ne rentrera pas. J'ai discuté avec Aphrodite. Elle et Darius seront bientôt là. Zoey ne reçoit ni ne passe de coups de téléphone.

— Elle est fatiguée. Stark est encore sous le choc. N'est-ce pas ce que Jack nous a expliqué ? demanda Lucie.

— Si, répondit Dragon. Mais, en vérité, nous n'avons pas discuté avec Zoey depuis son retour de l'Au-delà.

— Non mais, sérieux, pourquoi en faire tout un plat ? Vous vous comportez comme si c'était une gamine qui sèche les cours, alors que c'est une super grande prêtresse.

— Cela nous inquiète justement parce qu'elle est très puissante, dit Lenobia. Avec le pouvoir vient la responsabilité, tu le sais. Et puis, il y a Neferet et Kalona.

— Je me dois d'intervenir, déclara le professeur Penthésilée. D'après le dernier message du Conseil Supérieur, il n'y a plus de Neferet *et* Kalona. Neferet a rompu avec son consort depuis que son esprit est revenu dans son corps et qu'il a repris conscience. Neferet l'a fait fouetter publiquement, puis elle l'a banni de son entourage et de la société vampire pour un siècle, le punissant pour le meurtre du jeune humain. Le Conseil Supérieur a déclaré que c'était lui, et non elle, qui avait commis ce crime.

— Oui, nous le savons, mais…, commença Lenobia.

— Qu'est-ce que vous racontez ? la coupa Lucie, qui craignait que sa tête n'explose.

— Il faut croire qu'ils n'ont pas notre adresse mail, dit Kramisha, qui semblait aussi paniquée que Lucie.

Au moment où l'horloge de l'école s'était mise à sonner les douze coups de minuit, Neferet entra par la porte cachée, réservée à la grande prêtresse. Elle s'approcha de la grande table ronde d'un pas déterminé. Sa voix pleine d'assurance et d'autorité claquait comme un fouet.

— Je vois qu'il est temps que je rentre ! Quelqu'un pourrait-il m'expliquer pourquoi des novices sont admises à cette réunion ?

— Kramisha n'est pas qu'une novice, répondit Lucie, maîtrisant sa peur. Elle est poète lauréate et prophétesse. En tant que grande prêtresse, je l'ai invitée, ce qui lui donne le droit d'assister à cette réunion. Et vous, pourquoi n'êtes-vous pas en prison pour le meurtre de Heath ?

— En prison ? répéta Neferet avec un rire cruel. Quelle insolence ! Je suis une grande prêtresse, et j'ai mérité ce titre, moi, on ne me l'a pas donné par défaut.

— Et pourtant, tu évites la question de ta culpabilité dans le meurtre de cet humain, intervint Dragon. Je n'ai pas non plus reçu de message de la part du Conseil Supérieur. J'aimerais que tu m'éclaires : pourquoi tu n'as pas été tenue responsable de la conduite de ton consort ?

Lucie pensait que Neferet allait exploser ; or, au contraire, son expression s'adoucit, ses yeux verts se remplirent de compassion, et elle répondit au maître d'armes d'une voix chaleureuse.

— Je suppose que le Conseil Supérieur ne t'a pas communiqué cette nouvelle parce qu'il sait que tu pleures toujours la perte de ta compagne.

Dragon pâlit, et son regard se durcit.

— Je n'ai pas *perdu* Anastasia. Elle m'a été arrachée. Assassinée par une créature conçue par ton consort, et qui agissait sous ses ordres.

— Je comprends que ta douleur affecte ton jugement, mais tu dois savoir que Rephaïm et les autres Corbeaux Moqueurs n'avaient pas reçu l'ordre de blesser qui que ce soit. Au contraire, ils avaient une mission de protection. Quand Zoey et ses amis ont mis le feu à la Maison de la Nuit et ont volé nos chevaux, ils ont cru à une attaque. Ils ont simplement réagi en conséquence.

Lucie et Lenobia échangèrent un bref regard qui disait : « Il ne faut pas qu'elle sache qui était dans le coup », et Lucie garda le silence, ne voulant pas dévoiler le rôle de leur professeur dans « l'évasion » de Zoey.

— Ils ont tué ma femme, insista Dragon.

— Et j'en serai éternellement désolée, dit Neferet. Anastasia était une bonne amie.

— Vous avez pourchassé Zoey, Darius et les autres, lança Lucie. Vous nous avez menacés. Vous avez ordonné à Stark de tirer sur Zoey. Comment expliquez-vous ça ?

Le beau visage de Neferet se décomposa. Elle s'appuya sur la table en sanglotant doucement.

— Je sais… J'étais faible. J'ai laissé l'immortel ailé corrompre mon esprit. Il disait que Zoey devait être anéantie, et je l'ai cru parce que je le prenais pour Érebus incarné.

— C'est n'importe quoi ! lâcha Lucie, excédée.

Les yeux émeraude de Neferet la transpercèrent.

— N'as-tu jamais aimé quelqu'un et réalisé ensuite qu'en réalité, c'était un monstre ?

Lucie sentit que son visage se vidait de son sang. Elle décida de dire la vérité.

— Dans ma vie, les monstres ne se déguisent pas.

— Tu n'as pas répondu à ma question, jeune prêtresse.

Lucie releva le menton.

— Je vais le faire. Non, je n'ai jamais aimé quelqu'un sans savoir qui il était depuis le début. Et si vous parlez de Dallas, j'étais au courant de ses problèmes, mais je n'aurais jamais pensé qu'il se tournerait vers l'Obscurité et deviendrait fou.

— Oui, pauvre Dallas, dit Neferet avec un sourire rusé. C'est si triste, si...

— Neferet, j'ai toujours besoin de comprendre la décision du Conseil Supérieur, l'interrompit Dragon, blême mais déterminé. En tant que maître d'armes et dirigeant des Fils d'Érebus dans cette Maison de la Nuit, j'ai le droit d'être informé de tout ce qui pourrait compromettre la sécurité de notre école, que je sois ou non en deuil.

— Tu as raison, maître d'armes. En réalité, c'est très simple. Lorsque l'âme de l'immortel a retrouvé son corps, il m'a avoué avoir tué cet humain parce qu'il croyait que Heath, qui me haïssait, représentait une menace pour moi, expliqua Neferet avec une moue contrite. Le pauvre enfant s'était mis en tête que j'étais responsable de la mort du professeur Nolan et de Loren Blake ! Kalona pensait qu'en l'exécutant, il me protégerait. Il était resté trop longtemps à l'écart de notre monde ; il ne comprenait pas que l'humain ne pouvait rien contre moi. Ce n'était que l'erreur d'un combattant voulant voler au secours de sa grande prêtresse, ce qui explique pourquoi le Conseil Supérieur et moi-même avons fait preuve d'indulgence en choisissant sa punition. Comme certains de vous le savent déjà, Kalona a été fouetté cent fois, puis banni de la société vampire pour un siècle entier.

Le long silence qui avait suivi cette déclaration fut rompu par Penthésilée.

— Cette débâcle n'a été qu'un tragique malentendu, et nous avons assez payé pour ce qui s'est produit dans le passé. Le plus important, désormais, c'est que les cours reprennent et que nous retrouvions notre vie.

— Je m'incline devant ta sagesse, Penthésilée, dit Neferet en baissant la tête avec respect avant de se tourner vers Dragon. Cette période a en effet été difficile pour beaucoup d'entre nous, mais c'est toi qui as payé le plus cher, maître d'armes. Alors c'est à toi que je dois demander l'absolution de mes erreurs, tant personnelles que professionnelles. Pourras-tu conduire la Maison de la Nuit dans une nouvelle ère, tel un phœnix renaissant des cendres de son cœur brisé ?

Lucie aurait voulu hurler à Dragon que Neferet se moquait d'eux – ce qui était arrivé à la Maison de la Nuit n'était pas une erreur tragique, mais un abus de pouvoir de la part de Kalona et Neferet. C'est le cœur serré qu'elle vit Dragon s'incliner.

— J'aimerais que nous allions tous de l'avant, dit-il d'une voix vaincue, désespérée ; sinon, je crains de ne pas survivre à la perte de ma compagne.

On aurait dit que Lenobia allait intervenir, mais quand Dragon se mit à pleurer, elle alla le réconforter sans un mot.

« Il ne reste donc plus que moi pour tenir tête à Neferet », pensa Lucie. Elle jeta un coup d'œil à Kramisha, qui regardait Neferet avec une expression outrée à peine voilée. « OK, il ne reste plus que Kramisha et moi pour lui tenir tête. » Elle redressa les épaules et se prépara à la confrontation épique qui ne manquerait de suivre quand elle accuserait la grande prêtresse de leur mentir.

À ce moment-là, un bruit étrange parvint à la fenêtre de la chambre du Conseil. C'était un bruit terrible de souffrance, qui lui donna la chair de poule.

— Qu'est-ce que c'est ? demanda-t-elle en se tournant vers la fenêtre.

— Je n'ai jamais rien entendu de tel, lâcha Kramisha, et ça me fout les jetons.

— C'est un animal, et il souffre, dit Dragon en se reprenant.

Son expression se transforma. Ce n'était plus un homme brisé, mais un combattant. Il se leva et traversa la chambre du Conseil pour aller regarder dehors.

— Un chat ? suggéra Penthésilée, qui semblait bouleversée.

— Je ne vois rien d'ici. Ça vient de l'est du campus, dit Dragon en se dirigeant vers la porte.

— Oh, déesse ! Je crois savoir ce que c'est, dit Neferet d'une voix brisée. C'est un chien qui hurle, et le seul chien du campus est le labrador de Stark, Duchesse. Quelque chose serait-il arrivé à Stark ?

Lucie la vit poser la main sur son cou, comme si elle était horrifiée à cette idée. Elle aurait voulu la gifler ! Neferet aurait pu recevoir un Oscar pour la meilleure performance de tragédienne interprétée par une garce menteuse. « Ça suffit ! » Elle n'allait pas la laisser s'en tirer comme ça.

Cependant elle n'eut pas l'occasion de l'affronter. Au moment où Dragon poussa le battant, une cacophonie de sons les submergea. Des novices se précipitaient vers la chambre du Conseil ; ils pleuraient et criaient, mais par-dessus tout ce vacarme – et même le hurlement terrible – elle distingua une lamentation de douleur.

Et elle reconnut cette voix.

— Oh non ! souffla-t-elle en se ruant dans le couloir. C'est Damien !

Elle devança Dragon, et quand elle ouvrit la porte menant à l'extérieur, elle bouscula Drew Partain avec une telle force qu'ils roulèrent tous deux à terre.

— Bon sang, Drew ! Écarte-toi de mon...

— Jack est mort ! s'écria Drew en se relevant et en l'aidant à en faire de même. Près du mur Est, à côté de l'arbre brisé. C'est horrible. Dépêche-toi, Damien a besoin de toi !

Lucie sentit la nausée monter en elle. Avant qu'elle ait pu comprendre ce que Drew lui disait, elle fut entraînée par un flot de vampires et de novices qui traversaient le campus à toute allure.

Quand elle arriva à l'arbre, elle eut une terrible impression de déjà-vu. Le sang. Il y avait tellement de sang ! Elle se souvint de la nuit où la flèche de Stark l'avait presque entièrement vidée de son sang à cet endroit précis.

Cette fois, c'était Jack, le gentil Jack, et il était vraiment mort. L'espace d'une seconde, tout lui parut absurde, car personne ne bougeait, personne ne parlait. Il n'y avait aucun bruit à part le hurlement de Duchesse et les gémissements de Damien. Le jeune homme et le chien étaient accroupis à côté de Jack, étendu, face contre terre, sur l'herbe imbibée de sang, la pointe d'une longue épée dépassant de sa nuque. Elle l'avait transpercé avec une force telle qu'elle l'avait presque décapité.

— Oh, déesse ! Que s'est-il passé ? demanda Neferet, ce qui sortit tout le monde de sa torpeur.

Elle se précipita vers Jack et posa la main sur son corps.

— Le novice est mort, annonça-t-elle d'un ton solennel.

Damien releva la tête. Lucie vit ses yeux. Ils étaient emplis de douleur et d'horreur, et peut-être d'une pointe de folie. Alors qu'il fixait Neferet, elle vit son visage déjà livide pâlir encore, et cela la poussa à l'action.

— Je pense que vous devriez le laisser tranquille, dit-elle en se plaçant entre Neferet et Damien.

— Je suis la grande prêtresse de cette école. C'est mon rôle de gérer cette tragédie. Le mieux pour Damien, c'est que tu ne t'en mêles pas.

Lucie, qui la regardait droit dans les yeux, vit quelque chose s'y agiter, quelque chose qui lui glaça le sang.

Tout le monde s'était tourné vers elle. Lucie savait que Neferet n'avait pas tout à fait tort – elle n'était pas une grande prêtresse depuis assez longtemps pour savoir comment faire face à une situation aussi horrible que celle-ci. À vrai dire, elle avait reçu ce titre uniquement parce que aucune autre novice rouge ne s'était transformée. Avait-elle le droit de s'exprimer en tant que grande prêtresse de Damien ?

Elle restait plantée là en silence, se débattant avec ses doutes. Neferet l'ignora et s'accroupit près de Damien et lui prit la main.

— Damien, je sais que tu es sous le choc ; tu dois toutefois te reprendre et nous dire comment c'est arrivé.

Damien la regardait avec des yeux aveugles ; puis Lucie vit son regard s'éclaircir soudain. Il arracha sa main de la sienne et se mit à sangloter.

— Non ! Non ! Non !

Ce fut le déclic. Lucie en avait assez. Elle se moquait bien que tout l'univers ne voie pas clair dans le jeu de Neferet. Elle n'allait pas la laisser terroriser ce pauvre garçon.

— Comment c'est arrivé ? Vous demandez comment c'est arrivé ? Comme si c'était une pure coïncidence que Jack soit assassiné le jour même où vous revenez à l'école ! lança-t-elle en saisissant la main de Damien. Vous pouvez embobiner le Conseil Supérieur ; vous pouvez même convaincre des gens que vous êtes toujours de notre côté, mais pas Damien et Zoey et...

Elle s'interrompit quand elle entendit deux cris horrifiés parfaitement similaires, signalant l'arrivée des Jumelles :

— ... et Shaunee et Érin, et Stark, et moi. Nous ne croyons pas une seule seconde que vous êtes quelqu'un de bien. Alors, si *vous* nous expliquiez comment Jack est mort ?

Neferet secoua la tête d'un air affligé.

— J'ai beaucoup de peine pour toi, Lucie. Tu étais une novice si gentille, si aimante ! Je ne sais pas ce qui s'est passé.

La rage envahit Lucie. Elle tremblait de tout son corps.

— Vous le savez mieux que quiconque !

Elle ne pouvait se retenir ; sa colère était trop forte. Elle commença à s'approcher de Neferet avec une envie irrésistible de poser ses mains autour de son cou et serrer jusqu'à ce qu'elle ne respire plus – jusqu'à ce qu'elle ne soit plus une menace.

Mais Damien ne lui lâcha pas la main. Ce lien de confiance la calma un peu, tout comme le murmure qu'il lui adressa.

— Ce n'est pas elle. J'étais là quand Jack est mort, et ce n'est pas elle.

Lucie le regarda, hésitante.

— Comment ça, chéri ?

— J'étais là-bas, à la porte du gymnase. Duchesse ne me laissait pas courir ; elle n'arrêtait pas de me ramener par ici. Finalement, je l'ai suivie.

Sa voix était rauque et il parlait par à-coups.

— Elle avait réussi à m'inquiéter. Alors, je regardais dans cette direction, et j'ai vu Jack tomber du haut de l'échelle et atterrir sur l'épée. Il n'y avait personne. Absolument personne.

Lucie le serra contre elle. Elle sentit quatre bras l'entourer lorsque les Jumelles se joignirent à leur étreinte.

— Neferet était avec nous dans la chambre du Conseil quand cet horrible accident s'est produit, déclara Dragon d'un ton solennel en touchant doucement les cheveux de Jack. Elle n'est pas responsable de sa mort.

Lucie, qui ne pouvait regarder le corps brisé de leur ami, fixait Neferet pendant que Dragon prononçait ces mots. Elle fut donc la seule à voir l'éclair de victoire passer sur son visage, puis une expression fausse de tristesse et de sollicitude.

« Elle l'a tué ! comprit-elle. Je ne sais pas comment, et je ne peux pas encore le prouver, mais elle l'a fait. » Une autre pensée suivit aussitôt : « Zoey me croirait. Elle m'aiderait à démasquer Neferet ! »

CHAPITRE NEUF

Zoey

Stark et moi l'avions fait, et je ne me sens pas différente, dis-je à l'arbre sous lequel je me tenais. Si ce n'est que je me sens plus proche de lui.

Je marchai jusqu'au petit ruisseau qui traversait le bois, et baissai les yeux. Le soleil se couchait, mais le ciel conservait assez de lumière corail et or pour que je puisse voir mon reflet. Je m'observai avec attention. Je ressemblais à... Eh bien, à moi.

— Bon, d'accord, je l'ai déjà fait une fois, mais c'était complètement différent.

Je soupirai. Loren Blake avait été une énorme erreur. James Stark n'avait rien à voir avec lui, et ce qu'il y avait entre nous non plus.

— Alors, ne devrais-je pas être changée, maintenant que j'ai une vraie relation ?

Je me regardai en plissant les yeux. Est-ce que je ne paraissais pas plus âgée ? Plus expérimentée ? Plus sage ?

Non. J'avais juste l'air myope, les yeux plissés comme ça.

— Si Aphrodite était là, elle dirait que tout ce que je vais y gagner, c'est des rides.

J'eus un petit pincement au cœur en repensant à nos adieux, la veille. Comme on pouvait s'y attendre, elle avait été sarcastique, et ne m'avait pas épargnée en me reprochant de ne pas rentrer à Tulsa avec elle. Cependant notre étreinte avait été sincère, et elle me manquait déjà. Tout comme Lucie, Damien, Jack et les Jumelles.

— Et Nala, dis-je à mon reflet.

Mais me manquaient-ils assez pour me pousser à retrouver le monde réel ? À affronter mon retour à l'école, et la bataille contre l'Obscurité – et contre Neferet ?

— Non.

Le dire à voix haute rendait les choses plus réelles. Je sentais que la sérénité de l'île de Sgiach comblait ce manque.

— C'est magique, ici. Si je pouvais faire venir mon chat, je crois que je resterais pour toujours.

Le rire de Sgiach s'éleva dans mon dos, doux et musical.

— Comment se fait-il que nos animaux nous manquent plus que les gens ?

Elle s'approcha de moi en souriant.

— Je pense que c'est parce qu'on ne peut pas les appeler avec Skype. Par exemple, je sais que je peux rentrer au château et parler à Lucie. Quand j'ai essayé avec Nala, elle avait juste l'air perplexe et encore plus grincheuse que d'habitude, ce qui n'est pas peu dire.

— Si les chats comprenaient la technologie, ils dirigeraient le monde.

— Il ne faudrait pas le dire devant Nala ! dis-je en riant. Elle croit déjà que c'est le cas.

— Tu as raison. Mab pense aussi qu'elle dirige le monde.

Mab était l'immense chatte noir et blanc à poil long de Sgiach. Elle devait avoir au moins mille ans et passait tout son temps à moitié inconsciente sur le lit de la reine. Stark et moi l'appelions même la Chatte morte, quand Sgiach ne pouvait pas nous entendre.

— Par « monde », vous voulez dire votre chambre ?

— Exactement.

La reine alla vers un gros rocher couvert de mousse, s'y assit gracieusement et tapota la place à côté d'elle. Je la rejoignis, me demandant vaguement si mes mouvements seraient un jour aussi élégants et majestueux que les siens. J'en doutais...

Je regardai Sgiach droit dans les yeux et lui dis exactement ce que j'avais sur le cœur.

— Plus je reste ici, moins j'ai envie de partir, même si je sais que c'est irresponsable de ma part de me cacher du monde réel. Seulement, j'ai traversé des choses difficiles, alors j'ai le droit de faire une pause. Le problème, c'est que je vais encore à l'école. Je suppose qu'il faudra que je rentre un jour ou l'autre.

— Et que dirais-tu si c'était l'école qui venait à toi ?

— Comment ça ?

— Depuis que tu es entrée dans ma vie, je me suis mis à penser au monde extérieur – ou plutôt aux distances que j'ai prises avec lui. Oui, j'ai Internet ; oui, j'ai le satellite, mais je n'ai pas de nouveaux disciples. Je n'ai pas d'apprentis combattants ou de jeunes gardiens. Ou du moins, je n'en avais pas avant que vous soyez arrivés, toi et Stark. À présent, je me rends compte que l'énergie et les idées des jeunes esprits m'ont manqué. Votre présence a réveillé quelque chose qui dormait sur mon île. Je sens qu'un changement attend le monde, plus important que la science moderne ou la technologie. Je peux l'ignorer et laisser Skye se rendormir, se coupant complètement du monde et de ses problèmes, ou même se perdre dans les brumes du temps, comme Avalon et les Amazones. Ou je peux lui ouvrir les bras, accepter ses défis. J'ai choisi de laisser mon île se réveiller. Il est temps que la Maison de la Nuit de Skye accepte du sang neuf.

— Vous allez enlever le sort de protection ?

— Non, répondit la reine. Tant que je vivrai et, je l'espère, tant que mon successeur et ses successeurs à lui vivront, Skye restera protégée et séparée du monde moderne. Mais je pense que je vais lancer un appel aux combattants. À une époque, Skye formait les Fils d'Érebus les plus brillants.

— Et ensuite, vous avez quitté le Conseil Supérieur des Vampires, non ?

— C'est exact. Peut-être devrais-je commencer à revenir sur cette rupture, surtout si j'ai une jeune grande prêtresse en apprentissage.

— Vous parlez de moi ? demandai-je, tout excitée.

LIBÉRÉE

— En effet. Toi et ton gardien êtes liés à cette île. J'aimerais voir où ce lien va nous mener.

— Je suis vraiment honorée ! Merci beaucoup.

Mon cerveau s'emballait. Si Skye devenait une Maison de la Nuit active, ce ne serait plus comme si je me cachais. Il s'agirait juste de changer d'école. Je pensai à Damien et aux autres et me demandai s'ils accepteraient de venir sur Skye eux aussi.

— Y aurait-il de la place pour les novices qui ne se destinent pas à devenir des combattants ? demandai-je.

— On pourrait en discuter. Tu sais que cette île est riche d'une tradition magique qui comprend plus que la formation des combattants et de mes gardiens, n'est-ce pas ?

— Non. Enfin, si. C'est évident que vous êtes magique, et cette île, c'est vous.

— Je suis là depuis si longtemps que nombreux sont ceux qui me confondent avec Skye ; cependant je suis la gardienne de sa magie plutôt que sa propriétaire.

— Je ne vous suis pas.

— Réfléchis, jeune reine. Tu possèdes une affinité avec chacun des éléments. Tends la main et vois ce que cet endroit peut t'apprendre.

J'hésitai, incertaine.

— Essaie avec le premier élément, l'air, reprit-elle. Appelle-le, et observe.

— OK. Bon, c'est parti !

Je me levai et m'éloignai de quelques pas, m'arrêtant dans une zone moussue sans rochers. Je pris trois inspirations pour me purifier et me concentrer, puis je me tournai vers l'est.

— Air, viens à moi, s'il te plaît.

J'avais l'habitude que l'élément me réponde. J'avais l'habitude de sentir la brise s'agiter autour de moi comme un chiot énervé ; pourtant mon expérience ne m'avait pas préparée à ce qui suivit. L'air ne se contenta pas de répondre – il se mit à tourbillonner autour de moi avec force, me paraissant étrangement tangible, lui qui était d'ordinaire invisible. Alors, je poussai un petit cri de surprise : je pouvais vraiment le toucher ! Au milieu du vent fanfaron évoluaient les silhouettes de magnifiques créatures. Elles étaient brillantes et éthérées, transparentes. Sous mes yeux ébahis, elles changeaient de forme, prenant tantôt l'apparence de femmes ravissantes, tantôt celle de papillons, ou de splendides feuilles d'automne.

— Qu'est-ce que c'est ? soufflai-je.

Je tendis la main, et les feuilles se transformèrent en colibris aux couleurs vives, qui se posèrent sur ma paume.

— Des lutins de l'air, dit la reine. Autrefois il y en avait partout, mais ils ont quitté le monde moderne. Ils préfèrent les bois millénaires et les coutumes d'antan. Et cette île possède tout ça.

Sgiach sourit et offrit sa main à un lutin, qui prit l'apparence d'une femme minuscule aux ailes de libellule et se mit à danser entre ses doigts.

— C'est bien de les voir venir à toi, reprit-elle. Il y en a rarement autant au même endroit. Essaie un autre élément maintenant.

Cette fois, elle n'eut pas à me pousser. Je me tournai vers le sud.

— Feu, viens à moi !

Dans une gerbe d'étincelles, des lutins surgirent tout près de moi, me chatouillant avec leurs flammes.

— On dirait les cierges magiques de la fête nationale ! m'écriai-je, ravie.

Sgiach me sourit.

— Je vois rarement des lutins du feu. Je suis bien plus proche de l'air et de l'eau – le feu ne vient presque jamais à moi.

— Vous devriez avoir honte ! m'adressai-je aux petites créatures. Montrez-vous à Sgiach, c'est quelqu'un de bien !

Les lutins se mirent à voleter comme des fous autour de moi. Je sentis la détresse qui émanait d'eux.

— Oh non ! fit Sgiach. Dis-leur que tu les taquinais. Le feu est terriblement sensible et versatile. Je ne veux pas qu'ils provoquent un accident.

— Hé, désolée ! lançai-je. Je plaisantais. Tout va bien, vraiment.

Je poussai un soupir de soulagement en les voyant se calmer. Je jetai un coup d'œil à Sgiach.

— Ça ne craint rien si j'appelle les autres éléments ?

— Bien sûr que non. Fais simplement attention à ce que tu dis. Ton affinité est puissante, à plus forte raison quand tu l'utilises dans un lieu riche en magie ancienne.

— Compris.

J'inspirai de nouveau à trois reprises pour me concentrer, puis je me mis face à l'ouest.

— Eau, viens à moi, s'il te plaît.

Aussitôt, je fus submergée par l'élément. Des lutins

frais, translucides, et miroitants, effleuraient ma peau. Ils batifolaient ainsi, m'évoquant des sirènes, des dauphins, des méduses et des hippocampes.

— C'est trop cool !

— Les lutins de l'eau sont particulièrement forts sur Skye, dit Sgiach en caressant une petite créature en forme d'étoile qui évoluait devant elle.

Je me tournai vers le nord.

— Terre, viens à moi !

Le bois s'anima. Les arbres semblaient exulter ; des êtres fabuleux émergeaient de leurs troncs noueux. On aurait dit des elfes tout droit sortis d'un livre de Tolkien, ou de la jungle d'*Avatar*.

Je me plaçai au centre de mon cercle et appelai le dernier élément :

— Esprit, viens à moi, je te prie.

Cette fois, c'est Sgiach qui poussa un petit cri.

— Je n'ai jamais vu les cinq groupes de lutins ensemble. C'est magnifique !

— Oh, ma déesse ! C'est incroyable !

L'air qui m'entourait, déjà rempli de petits êtres, était tellement radieux qu'il me fit penser à Nyx, et à l'éclat de son sourire.

— Tu veux essayer autre chose ? demanda Sgiach.

— Bien sûr !

— Alors, viens ici. Donne-moi la main.

Entourée par les lutins qui personnifiaient les éléments, je m'approchai de Sgiach et lui tendis la main droite. Elle la prit et tourna ma paume vers le haut.

— Tu me fais confiance ?

— Oui, Sgiach.

— Tant mieux. La douleur ne durera pas.

Avec une rapidité incroyable, elle entailla ma peau de l'un de ses ongles pointus. J'inspirai une grande goulée d'air ; cependant, elle avait dit vrai : je n'eus mal qu'un bref instant.

Elle retourna ma paume, et mon sang se mit à couler. Avant qu'il ne puisse toucher le sol mousseux à nos pieds, la reine recueillit les gouttes écarlates dans ses mains en coupe ; puis, en prononçant des mots que je ne comprenais pas, elle les lança en l'air, les éparpillant tout autour de moi.

Alors, quelque chose d'extraordinaire se produisit.

Tous les lutins touchés par mon sang prirent aussitôt chair. Ce n'étaient plus des êtres éthérés, des traînées d'air, de feu, d'eau, de terre et d'esprit. Tout ce que mon sang touchait devenait réel : des nymphes, des fées, des oiseaux vivants.

Et ils dansaient, et ils faisaient la fête. Leur rire remplissait le ciel de gaieté et de magie.

Complètement absorbée par cette merveille, je ne remarquai pas tout de suite que mon sang avait cessé de couler.

— J'aurais tant aimé partager ça avec d'autres novices ! dis-je. Si vous les autorisez à venir, pourrai-je enseigner à une nouvelle génération de vampires comment atteindre la magie ancienne ?

Elle me sourit à travers ses larmes – des larmes de bonheur, je l'espérais.

— Oui, Zoey. Car si tu n'es pas en mesure de relier le monde ancien et le monde moderne, j'ignore qui en sera capable. Mais, en attendant, profite de ce moment.

La réalité créée par ton sang disparaîtra bientôt. Danse avec eux, jeune reine ! Dis-leur qu'il existe encore un espoir que le monde d'aujourd'hui n'ait pas complètement oublié le passé.

Ses mots me stimulèrent, et je me mis à danser avec ces créatures au rythme des cloches, des cornemuses et des cymbales qui venaient de résonner dans la nuit.

J'aurais dû prêter plus d'attention aux cornes pointues que j'aperçus, tout en tournoyant main dans la main avec les lutins ; j'aurais dû remarquer la couleur du pelage du taureau, et la lueur qui brillait dans ses yeux. J'aurais dû mentionner sa présence à Sgiach. Bien des choses auraient pu être évitées, ou du moins anticipées.

Mais cette nuit-là, je dansai avec innocence, toute à la découverte de la magie ancienne, oubliant qu'il pourrait y avoir des conséquences plus graves que ma fatigue, mon envie d'un bon dîner et de plusieurs heures de sommeil.

— Vous aviez raison. Ça n'a pas duré, dis-je, essoufflée, en me laissant tomber à côté de Sgiach sur le rocher. On ne peut rien faire pour qu'ils restent plus longtemps ? Ils avaient l'air si heureux d'être réels !

— Ce sont des êtres élusifs. Ils ne doivent allégeance qu'à leur élément, ou à ceux qui sont en connection avec lui.

— Vous voulez dire qu'ils sont loyaux envers moi ? demandai-je, surprise.

— Je le crois, sans pouvoir l'affirmer, n'ayant aucune

affinité avec eux, même si je suis l'alliée du vent et de l'eau, en tant que reine et protectrice de cette île.

— Alors, je peux les appeler, même si je quitte Skye ?

— Et pourquoi ferais-tu une chose pareille ? rétorqua-t-elle en souriant.

Je ris avec elle, ne voyant aucune raison de quitter cette île magique.

— Ah, je savais bien qu'en suivant le murmure des bavardages je vous trouverais, dit quelqu'un derrière nous…

Le sourire de Sgiach s'élargit et devint plus chaleureux quand Seoras nous rejoignit et se plaça près d'elle. Elle ne toucha qu'une seconde son bras musclé ; pourtant ce geste contenait plusieurs vies d'amour, de confiance et d'intimité.

— Bonjour, mon gardien. Je vois que tu as apporté l'arc et les flèches.

Seoras me montra un arc en bois sombre, finement sculpté. Le carquois en cuir assorti qu'il portait à l'épaule était rempli de flèches aux plumes rouges.

— Parfait, dit la reine avant de se tourner vers moi. Zoey, tu as beaucoup appris aujourd'hui. Ton gardien a lui aussi besoin d'apprendre à croire à la magie et aux dons de la déesse.

Elle prit l'arc et les flèches des mains de Seoras et me les tendit.

— Va donner cela à Stark. Il s'en est passé trop longtemps.

— Vous croyez vraiment que c'est une bonne idée ? demandai-je.

— Je pense que ton gardien ne sera pas un être complet tant qu'il n'aura pas accepté les dons que lui a faits la déesse, dit la reine.

— Il avait une épée dans l'Au-delà. Ça ne pourrait pas être son arme sur terre aussi ?

Elle se contenta de me regarder. La magie de ce que nous venions de vivre se reflétait encore dans ses yeux verts.

Je soupirai, et, à contrecœur, je pris l'arc et le carquois.

— Il n'est pas très à l'aise avec ça, dis-je.

— Pourtant il devrait, rétorqua Seoras.

— Vous ne diriez pas ça si vous saviez tout...

— Tu parles du fait qu'il ne peut pas rater sa cible ? Je le sais, et je sais aussi qu'il se sent toujours coupable de la mort de son mentor.

— Il vous a tout raconté !

— Oui.

— Et vous pensez quand même qu'il doit recommencer à se servir de son arc ?

— Oui, car il sait, grâce à des siècles d'expérience, ce qui arrive quand un gardien ignore les dons de la déesse, répondit Sgiach à la place de Seoras.

— Que se passe-t-il alors ?

— La même chose que lorsqu'une grande prêtresse essaie de se détourner du chemin que la déesse lui a tracé, dit Seoras.

— Comme Neferet..., murmurai-je.

— Oui, comme la grande prêtresse déchue qui a corrompu votre Maison de la Nuit et qui a provoqué la mort de ton consort.

— Même si, en toute honnêteté, ce n'est pas toujours aussi grave, intervint Sgiach. Parfois, cela ne débouche que sur une vie inaccomplie, aussi banale qu'une vie de vampire puisse l'être.

— Mais si c'est un gardien qui possède un grand talent, enchaîna Seoras, ou qui a affronté l'Obscurité, alors il risque de disparaître dans les ténèbres.

— Et c'est le cas de Stark, conclus-je.

— En effet. Continue de me faire confiance, Zoey, dit Sgiach. Il vaut mieux que ton gardien suive le chemin tracé devant lui plutôt que de l'éviter et, peut-être, d'être aspiré par l'ombre.

— Je comprends ; mais ça ne va pas être facile de le convaincre.

— Tu peux toujours t'aider de la magie des anciens tant que tu es sur cette île, non ?

Mon regard passait de l'un à l'autre. Ils avaient raison, je le sentais tout au fond de moi. Stark ne pouvait continuer comme ça, pas plus que je ne pouvais nier mon lien avec les cinq éléments.

— OK, je vais essayer. Où est-il, d'ailleurs ?

— Le p'tit gars ne tient pas en place, me répondit Seoras. Je l'ai vu marcher au bord de l'eau, près du château. Il semble perturbé.

— Pourtant, il avait l'air d'accord pour rester, fis-je, pensant à voix haute, le cœur serré.

Nous avions décidé la veille de rester sur Skye pour une durée indéterminée, et, après ce qui venait de se passer avec Sgiach, l'idée de partir m'était insupportable.

— Ce qui le préoccupe, ce n'est pas tant où il est, mais qui il est, dit Seoras.

— Hein ? fis-je brillamment.

— Zoey, ton gardien sera beaucoup moins agité lorsqu'il sera redevenu un combattant à part entière, expliqua Sgiach.

— Et un tel combattant se sert de tous ses talents, enchaîna Seoras.

— Va le voir, et aide-le à se retrouver, Zoey, reprit la reine.

— Comment ?

— Crénom, femme, s'emporta Seoras, utilise le cerveau que la déesse t'a donné, et débrouille-toi !

La reine et son gardien me poussèrent doucement. Je soupirai et me dirigeai vers la mer en me demandant ce que « crénom » pouvait bien vouloir dire.

CHAPITRE DIX

Zoey

Tout en pensant à Stark, je descendis l'escalier en pierres glissantes qui s'enroulait au pied du château et débouchait sur la rive rocheuse où avait été bâti l'imposant édifice de Sgiach, haut comme une falaise.

Le soleil venait de se coucher, et même si le ciel retenait un peu de sa lumière, j'étais contente que la rangée de torches illumine les lieux.

Stark était seul. Il me tournait le dos, ce qui me permit de l'observer tout en m'approchant de lui. Il tenait un grand bouclier en cuir dans une main, une épée dans l'autre, et il s'entraînait à attaquer, à feinter, comme s'il affrontait un ennemi invisible. J'avançais tranquillement, prenant mon temps pour profiter du spectacle.

Avait-il grandi récemment ? Était-il plus musclé ? En sueur, haletant, il avait l'air très fort, et très, très viril, avec son kilt de combattant redoutable. Je me rappelai son corps tout contre le mien la veille, quand nous avions dormi ensemble, et mon cœur se mit à battre plus vite.

« Avec lui, je me sens en sécurité, et je l'aime, songeai-je. Je pourrais rester ici à ses côtés, loin du **reste** du monde, pour toujours. »

Je frissonnai. À ce moment précis, Stark relâcha sa garde et se retourna. Je vis l'inquiétude dans ses yeux, qui ne s'atténua que quand je lui souris et lui fis un signe de la main. Lorsqu'il posa les yeux sur ce que je tenais dans la main, son sourire disparut. Il me serra dans ses bras et m'embrassa.

— Hé, tu es sexy quand tu fais des trucs avec ton épée, dis-je.

— On appelle ça s'entraîner. Et je ne suis pas censé être sexy, Zoey. Je suis censé être intimidant.

— Oh, mais tu l'es ! J'ai failli mourir de peur, fis-je en jouant la demoiselle effarouchée, une main sur le front, comme si j'allais m'évanouir.

— Vous n'êtes vraiment pas douée pour la comédie, ma p'tite dame, dit-il en prenant ma main et en la posant sur sa poitrine. Mais si voulez, mam'selle Zoey, je peux vous apprendre.

Je sais que c'est idiot, mais je me sentais fondre dès que j'étais près de lui. Quand ses mots parvinrent à percer la brume de mon désir, je sus comment m'y prendre pour le ramener au tir à l'arc.

— Hé, je suis peut-être nulle en théâtre, mais il y a bien quelque chose que tu pourrais m'apprendre.

— Oui, femme, y a des tas d'choses que j'pourrais t'apprendre, dit-il en imitant Seoras.

Je le frappai.

— Arrête un peu ! Je parle de ça, dis-je en brandissant l'arc. J'ai toujours trouvé cool le tir à l'arc, mais je n'y connais rien. Tu veux bien m'initier ? S'il te plaît !

Il recula d'un pas en considérant l'arc avec méfiance.

— Zoey, tu sais je ne dois pas me servir de ça.

— Non, tu dois juste ne pas viser un être vivant. Enfin, à moins qu'on ait besoin de le tuer. Et puis, je ne te demande pas de t'en servir. Je te demande de m'enseigner les bases.

— Et pourquoi cette envie soudaine ?

— C'est logique. On va rester sur cette île, pas vrai ?

— Oui.

— Et des combattants sont formés ici depuis des millions d'années, n'est-ce pas ?

— Oui, tu as raison.

Je lui souris, essayant de dédramatiser la situation.

— J'adore quand tu admets que j'ai raison ! Bref, tu es un combattant. Nous sommes là. J'aimerais connaître des techniques de combat. Et ça, c'est bien trop lourd pour moi, dis-je en désignant l'épée. Et puis il est joli, cet arc !

— Peu importe qu'il soit joli ou non. Tu ne dois pas oublier qu'il s'agit d'une arme. Elle peut tuer, surtout placée entre mes mains.

— Seulement si tu décides de tuer.

— On peut parfois commettre des erreurs, dit-il, hanté par ses souvenirs.

Je lui touchai le bras.

— Tu es plus âgé maintenant. Plus intelligent. Tu ne referas pas les mêmes erreurs.

Comme il me regardait sans un mot, je brandis l'arc une nouvelle fois et insistai :

— Allez, montre-moi comment ça marche !

— On n'a pas de cible.

— Bien sûr que si, dis-je en tapotant le bouclier en cuir usé qu'il avait posé par terre à mon arrivée. Cale-le entre deux rochers un peu plus loin sur la plage. J'essaierai de tirer – enfin, une fois que tu te seras mis à l'abri, bien sûr.

— Bien sûr !

L'air résigné et malheureux, il s'éloigna de quelques pas, souleva deux pierres de manière à pouvoir y coincer le bouclier, puis il revint vers moi. Il prit l'arc à contre-cœur et mit le carquois à nos pieds.

— Voilà comment on le tient, dit-il en me faisant la démonstration. Et la flèche va ici. Tu l'encoches comme ça. Avec ces flèches, c'est facile : les noires se mettent dans ce sens, et les rouges dans celui-là.

Tout en parlant, Stark commençait à se détendre. Il ne faisait aucun doute qu'il aurait pu exécuter ces gestes les yeux fermés – rapidement et efficacement.

— Plante bien tes pieds dans le sol, avec un espace de la largeur des hanches, comme ça.

Pendant qu'il prenait la position, j'admirai ses belles jambes, une des nombreuses raisons pour lesquelles j'aimais qu'il porte le kilt.

— Ensuite, tu lèves l'arc et, tout en tenant la flèche entre deux doigts, tu tires le fil en arrière, bien tendu, continua-t-il. Vise un peu bas. Ça aidera la flèche à s'ajuster à la distance et au vent. Quand tu es prête, relâche. Fais attention à ne pas plier ton bras gauche, sinon tu vas te cogner et tu auras un vilain bleu. Vas-y, essaie.

— Montre-moi, dis-je simplement.

— Zoey, ce n'est pas une bonne idée, crois-moi.

— Stark, la cible est un bouclier en cuir. Elle n'est pas vivante. Vise simplement le centre.

Il hésita. Je posai la main sur sa poitrine et m'approchai de lui. Malgré la douceur de notre baiser, je sentis la tension dans tout son corps.

— Hé ! dis-je doucement. Un peu de confiance ! Tu es mon combattant, mon gardien. Tu dois te servir de cet arc, car c'est un don que t'a fait la déesse. Tu l'utiliseras à bon escient, je le sais parce que je te connais. Tu es quelqu'un de bien. Tu t'es battu pour être quelqu'un de bien, et tu as réussi.

— Pas tout à fait, Zoey... J'ai vu mon mauvais côté, là-bas, dans l'Au-delà.

— Et tu l'as vaincu.

— Pour toujours ? Je ne pense pas que ce soit possible.

— Hé, personne n'est entièrement bon. Par exemple, je peux te dire que si le premier de la classe laissait traîner son devoir de géométrie, je ne me gênerais pas pour y jeter un coup d'œil.

Il sourit un bref instant, puis se tendit de nouveau.

— Tu en ris, mais pour moi c'est différent, comme pour tous les novices rouges, même pour Lucie. Une fois qu'on a connu l'Obscurité, la vraie Obscurité, il reste une ombre sur notre âme.

— Vous avez vécu quelque chose que nous autres ne connaissons pas. Pour autant, vous n'appartenez pas aux ombres de l'Obscurité – vous les connaissez, c'est tout. Ce peut être un avantage si vous utilisez ce savoir pour combattre le mal.

— Parfois, j'ai peur que ce soit plus que ça, dit-il lentement en me regardant dans les yeux, comme s'il y cherchait une vérité cachée. L'Obscurité est possessive, invasive. Quand elle s'est emparée de toi, elle ne te lâche pas comme ça.

— L'Obscurité ne peut rien faire si tu as choisi le chemin de la déesse. Elle ne peut pas vaincre la Lumière.

— Mais je ne suis pas sûr que la Lumière puisse vaincre l'Obscurité non plus. Il y a un équilibre, Zoey.

— Ce qui ne veut pas dire qu'on ne peut pas choisir son camp. Et tu as choisi. Fais-toi confiance. Moi, je te fais confiance. Entièrement.

Il continuait à me fixer droit dans les yeux, comme s'il se raccrochait à une bouée de sauvetage.

— Tant que tu me verras comme quelqu'un de bien – tant que tu croiras en moi – j'essaierai d'en faire autant, parce que j'ai confiance en toi, Zoey. Et je t'aime.

— Je t'aime aussi, gardien.

Il m'embrassa puis, d'un geste rapide, gracieux et sûr, il tira. La flèche s'enfonça en plein milieu de la cible.

— Waouh ! Tu es incroyable !

Il souffla longuement, et la tension abandonna son corps. Il m'adressa un sourire craquant et fanfaron.

— En plein dans le mille !

— Évidemment, idiot ! Tu ne peux pas rater. Bon, tu vas m'apprendre maintenant, oui ou non ? Et cette fois, ne va pas si vite. Montre-moi.

— Oui, oui, bien sûr. Regarde !

Il visa et tira plus lentement, me laissant le temps de suivre ses mouvements. La deuxième flèche coupa la première en deux.

— Oups. J'avais oublié. J'ai perdu beaucoup de flèches comme ça.

— À mon tour ! Je parie que je n'aurai pas ce problème.

Je tentai d'imiter ses gestes, mais je ne tirai pas assez fort, et ma flèche ricocha sur les rochers.

— Zut ! C'est plus difficile que ça en a l'air.

— Attends. Je vais te montrer. Tu te tiens mal.

Il se glissa derrière moi et passa ses bras au-dessus des miens, se collant contre mon dos.

— Imagine que tu es une ancienne reine vampire. Tiens-toi droite, forte et fière. Épaules en arrière ! Menton relevé !

Je suivis ses instructions et, dans le cercle solide de ses bras, je me sentis devenir une personne puissante et majestueuse.

— Reste calme, concentre-toi, murmura-t-il.

Nous visâmes ensemble et, alors que nous relâchions la corde, je sentis la secousse retentir dans son corps et dans le mien, et la flèche se planta en plein centre de la cible, fendant les deux autres.

Je me tournai vers mon gardien et lui souris.

— C'est de la magie. C'est extraordinaire ! Tu dois t'en servir, Stark. Il le faut.

— Ça m'a manqué, avoua-t-il si bas que je dus tendre l'oreille. Je ne me sens pas bien quand je ne suis plus connecté à mon arc.

— C'est parce que, grâce à lui, tu es connecté à Nyx. C'est elle qui t'a fait ce don.

— Peut-être que je pourrai m'y remettre ici. Cet endroit est différent. J'ai l'impression que ma place est là – que notre place est là.

— J'éprouve la même chose. Et cela faisait une éternité que je ne m'étais pas sentie aussi heureuse, aussi en sécurité, dis-je en me glissant entre ses bras. Sgiach vient de m'annoncer qu'elle allait rouvrir l'île à des combattants et à des novices talentueux. Tu sais, des novices avec des affinités.

— Oh, des affinités avec les éléments, par exemple ?

— Exactement, dis-je en le serrant contre moi. Je veux rester ici. Vraiment.

Il me caressa les cheveux et embrassa le sommet de mon crâne.

— Je sais, Zoey. Et je suis avec toi. Je serai toujours avec toi.

— Peut-être qu'ici on pourra se débarrasser de l'Obscurité que Neferet et Kalona ont essayé de déverser sur nous.

— Je l'espère, Zoey. Je le souhaite de tout mon cœur.

— Tu penses que ça suffit d'avoir une seule partie du monde à l'abri de l'Obscurité ? Est-ce que je suivrai toujours le chemin de la déesse en restant ici ?

— Je ne suis pas expert en la matière, mais, à mon avis, le plus important, c'est que tu fasses de ton mieux pour rester fidèle à Nyx. L'endroit où tu es n'a pas beaucoup d'importance.

— Je comprends pourquoi Sgiach ne quitte pas cet endroit.

— Moi aussi, Zoey.

Il me serra plus fort, et je sentis que ce qui était meurtri en moi commençait à se réchauffer et, doucement, à guérir.

Stark

C'était tellement agréable de tenir Zoey dans ses bras ! Quand il se souvenait qu'il avait failli la perdre, cela lui donnait la nausée. « J'ai réussi ! Je suis allé la rejoindre dans l'Au-delà, et je l'ai ramenée. Elle est en sécurité maintenant, et je vais faire en sorte qu'elle le reste. »

— Hé, tu penses vraiment très fort, dit Zoey, blottie contre lui dans le grand lit qu'ils partageaient. J'entends presque les rouages de ton cerveau.

— C'est moi qui suis censé avoir des super pouvoirs télépathiques, plaisanta-t-il, tout en se rapprochant de son esprit – pas assez près pour épier ses pensées, ce qui l'aurait mise en colère, mais assez pour être sûr qu'elle était vraiment heureuse et confiante.

— Tu veux que je te dise quelque chose ? demanda-t-elle d'une voix hésitante.

Il se releva sur un coude et lui sourit.

— Tu plaisantes, Zoey ? Je veux tout savoir.

— Je... euh... j'aime beaucoup, quand tu me touches, avoua-t-elle en rougissant.

Il haussa les sourcils et réprima un grand sourire idiot.

— C'est bien. Je dirais même que c'est très bien.

Elle se mordilla la lèvre.

— Et toi, tu aimes ça ?

Cette fois, il éclata de rire.

— C'est une blague ?

— Non. Je suis très sérieuse. Après tout, comment pourrais-je le savoir ? Je ne suis pas expérimentée. Pas comme toi.

Ses joues étaient en feu, et elle avait l'air mal à l'aise, ce qui calma un peu l'hilarité de Stark.

— Hé, dit-il, être avec toi, c'est plus que génial. Et tu te trompes, en amour, tu es plus expérimentée que moi.

Il posa un doigt sur ses lèvres pour l'empêcher de parler.

— Non, laisse-moi finir. Oui, j'ai eu d'autres expériences, mais je n'avais jamais été amoureux. Tu es la première, et tu seras la dernière.

Elle le regarda avec tant d'amour et de confiance qu'il crut que son cœur allait sortir de sa poitrine. Il n'y avait que Zoey – il n'y aurait jamais que Zoey pour lui.

— Tu veux bien me faire l'amour ? murmura-t-elle.

En guise de réponse, il la serra contre lui et l'embrassa avec fougue en pensant qu'il n'avait jamais été aussi heureux de sa vie.

CHAPITRE ONZE

Kalona

Sentant Neferet approcher, il se tendit et s'efforça de dissimuler la haine qu'il éprouvait désormais à son égard.

Kalona prendrait son temps. S'il y avait une chose qu'il comprenait, c'était bien le pouvoir de la patience.

— Neferet arrive, dit-il à Rephaïm.

Son fils se tenait devant l'une des nombreuses portes-fenêtres donnant sur l'immense balcon du luxueux appartement acheté par la Tsi Sgili. On y trouvait l'opulence dont Neferet avait besoin, mais aussi l'isolement et l'accès au ciel qu'exigeait l'immortel.

— A-t-elle imprimé avec vous ?

Kalona sursauta, surpris.

— Imprimé ? Neferet et moi ? Quelle étrange question !

Rephaïm se détourna du panorama de Tulsa et regarda son père.

— Vous la sentez approcher. J'en déduis qu'elle a goûté votre sang, et que vous avez imprimé.

— Personne ne goûte le sang d'un immortel.

Les portes de l'ascenseur sonnèrent, et Kalona se retourna. Neferet avançait à grands pas sur le sol en marbre luisant. Elle se mouvait gracieusement, d'une démarche aérienne que quelqu'un de mal informé aurait crue caractéristique des vampires. Mais Kalona connaissait la vérité. Ses mouvements avaient changé – tout comme elle-même avait changé, devenant bien plus qu'un simple vampire.

— Ma reine, dit-il en s'inclinant devant elle.

Le sourire de Neferet était d'une beauté dangereuse. Serpentine, elle passa un bras autour de ses épaules et serra plus fort que nécessaire. Kalona se pencha pour qu'elle puisse poser ses lèvres sur les siennes. Il vida son esprit ; seul son corps répondit à l'appel de la grande prêtresse déchue !

Quelques secondes plus tard, Neferet s'écarta de lui.

— Rephaïm ! Je te croyais mort, lança-t-elle en jetant un coup d'œil par-dessus l'épaule de Kalona.

— Blessé, pas mort. J'ai guéri et attendu le retour de mon père.

Kalona se dit que, même si les mots de Rephaïm étaient respectueux, quelque chose dans le ton de sa voix ne collait pas. Cependant, il avait toujours été difficile de déchiffrer les émotions de Rephaïm, son humanité étant dissimulée derrière l'aspect de la bête. À supposer qu'il ait des émotions qui puissent être qualifiées d'humaines...

— J'ai appris que tu avais été repéré par des novices de la Maison de la Nuit de Tulsa.

— L'Obscurité a lancé un appel, et j'y ai répondu. La présence de novices n'avait pas d'importance pour moi.

— Il n'y avait pas que des novices – Lucie était là également. Elle t'a vu.

— Comme je l'ai dit, ces êtres n'ont aucune importance à mes yeux.

— N'empêche que c'était une erreur de ta part, et je ne tolère pas les erreurs.

Kalona vit que les yeux de Neferet prenaient une teinte rouge. La colère s'agita en lui. Il lui était déjà pénible d'être son esclave ; mais qu'elle sermonne son fils favori lui était intolérable.

— À vrai dire, ma reine, intervint-il, le fait qu'elle sache que Rephaïm est resté à Tulsa pourrait jouer en notre faveur. Je suis censé avoir été banni de ton entourage, si bien que personne ne doit me voir ici. Si des rumeurs circulent sur un être ailé, la Maison de la Nuit pensera qu'il s'agit d'un quelconque Corbeau Moqueur, et personne ne pensera à moi.

Neferet haussa un sourcil.

— En effet, mon amour, cela peut être utile quand vous serez tous deux occupés à me ramener les novices rouges solitaires.

— Tes désirs sont des ordres, ma reine.

— En attendant, je veux que Zoey rentre à Tulsa, déclara Neferet. Ces idiots de la Maison de la Nuit m'ont appris qu'elle refusait de quitter Skye. Je ne peux pas l'atteindre là-bas ; or je souhaite vivement le faire.

— La mort de l'innocent devrait provoquer son retour, dit Rephaïm.

— Et comment es-tu au courant de sa mort ? demanda Neferet, les yeux plissés.

— Nous l'avons sentie, répondit Kalona. L'Obscurité s'en est délectée.

— Comme c'est charmant ! fit Neferet avec un sourire prédateur. La mort de ce garçon ridicule m'a procuré beaucoup de plaisir. Mais je crains qu'elle n'ait l'effet inverse sur Zoey. Au lieu de revenir auprès de ses amis faibles et pleurnicheurs, elle risque d'être confortée dans sa décision de rester cachée sur cette île.

— Peut-être devrais-tu blesser quelqu'un dont elle est plus proche, suggéra Kalona. La Rouge est comme une sœur pour elle.

Neferet se tapota le menton.

— Exact. Cette maudite Aphrodite et elle sont devenues très proches également...

Rephaïm fit un bruit étrange.

— As-tu quelque chose à ajouter, mon fils ?

— Zoey se cache sur Skye. Elle pense que vous ne pouvez pas l'atteindre là-bas, c'est bien ça ? demanda Rephaïm.

— Et c'est le cas, répondit Neferet d'une voix froide et cassante. Nul n'est en mesure de percer les barrières du royaume de Sgiach.

— Tout comme personne n'était censé franchir les barrières du royaume de Nyx ?

Neferet le foudroya du regard.

— Comment oses-tu être aussi impertinent ?

— Où veux-tu en venir, Rephaïm ? demanda Kalona.

— Père, vous avez déjà violé une barrière prétendue infranchissable en entrant dans l'Au-delà, alors que Nyx vous en avait banni. Servez-vous de votre lien avec Zoey. Atteignez-la dans ses rêves. Faites-lui comprendre qu'elle ne peut pas vous échapper. Ça, la mort de son ami, et le retour de Neferet dans sa Maison de la Nuit devraient suffire à convaincre la jeune prêtresse de sortir de son isolement.

— Elle n'est pas une prêtresse, mais une novice ! Et ce n'est pas *sa* Maison de la Nuit, c'est la mienne ! s'égosilla Neferet. Non, j'en ai assez du « lien » de ton père avec elle. Il n'a pas suffi à causer sa mort, alors je veux qu'il soit rompu. S'il faut attirer Zoey hors du royaume de Sgiach, je le ferai en utilisant Lucie ou Aphrodite – voire les deux. Je dois leur apprendre à me montrer le respect qui m'est dû.

— Comme tu voudras, ma reine, dit Kalona en lançant un regard appuyé à son fils.

Rephaïm hésita, puis lui aussi inclina la tête.

— Bien ! Dans ce cas, c'est réglé. Rephaïm, d'après les informations locales, il y a eu des violences près du lycée Will Rogers. Il paraîtrait qu'un gang tranche la gorge de ses victimes et les vide de leur sang. Je pense qu'en suivant ce « gang », nous trouverons les novices rouges. Fais-le. Discrètement.

Rephaïm hocha la tête sans un mot.

— Et maintenant, je vais aller me détendre dans ma superbe baignoire en marbre. Kalona, mon amour, je te rejoindrai bientôt dans notre lit.

— Tu ne souhaites pas que je recherche les novices rouges avec Rephaïm ?

— Pas ce soir, roucoula Neferet. J'ai besoin que tu me rendes un service plus personnel... Nous avons été séparés trop longtemps.

Elle passa un ongle rouge sur la poitrine de Kalona, et il dut se forcer à ne pas s'écarter. Elle sentit sans doute sa répugnance, car, lorsqu'elle reprit la parole, ce fut d'une voix dure et glaciale.

— T'ai-je contrarié ?

— Bien sûr que non ! Je serai prêt et enthousiaste, comme toujours.

— Et tu m'attendras dans mon lit pour me donner du plaisir.

Avec un sourire cruel, elle fit volte-face, se dirigea vers l'immense chambre qui occupait la moitié de l'appartement et claqua la porte derrière elle, tel un geôlier fermant la porte d'une prison.

Kalona et Rephaïm gardèrent le silence pendant une minute entière. Lorsque l'immortel reprit la parole, sa voix tremblait d'une colère contenue.

— Aucun prix ne sera trop élevé pour me libérer de son emprise !

— Elle vous traite comme un serviteur.

— Cela ne durera pas.

— Mais pour l'instant, c'est le cas. Elle vous ordonne même de garder vos distances avec Zoey, alors que vous avez été lié pendant des siècles à la jeune Cherokee dont elle partage l'âme !

Le dégoût que Kalona percevait dans la voix de son fils reflétait le sien.

— Non, dit-il doucement, s'adressant plus à lui-même qu'à son fils. La Tsi Sgili croit peut-être qu'elle commande le moindre de mes gestes, mais elle a beau se prendre pour une déesse, elle ne sait pas tout. Elle ne voit pas tout.

Ses ailes ne cessaient de bouger, trahissant son agitation.

— Je crois que tu as raison, mon fils. Cela pourrait pousser Zoey à quitter l'île de Skye si elle comprenait que, même là-bas, elle ne peut échapper au lien qui nous unit.

— C'est logique, acquiesça Rephaïm. La jeune fille se cache pour vous éviter. Montrez-lui que vous êtes trop fort pour que ça marche, que la Tsi Sgili soit d'accord ou non.

— Je n'ai pas besoin de l'accord de cette créature.

— Absolument.

— Mon fils, envole-toi dans le ciel nocturne et pourchasse les novices rouges. Cela apaisera Neferet. Ce que je souhaite, moi, c'est que tu trouves Lucie, et que tu la tiennes à l'œil. Observe-la attentivement. Note ses allées et venues, mais ne la capture pas. Je pense que ses pouvoirs sont liés à l'Obscurité et qu'elle peut nous être utile, mais il faut d'abord détruire son amitié avec Zoey et la Maison de la Nuit. Elle a forcément un point faible. Si nous la surveillons assez longtemps, nous finirons par le découvrir. Les faiblesses peuvent être si séduisantes ! conclut-il avec un ricanement.

— Séduisantes, père ?

Kalona regarda son fils, étonné par son expression étrange.

— Séduisantes, oui. Tu as été si longtemps coupé

du monde que tu as dû oublier la puissance d'une seule faiblesse humaine.

— Je... je ne suis pas humain, père. J'ai du mal à comprendre.

— Bien entendu... Contente-toi de trouver la Rouge. Je déciderai ensuite quoi faire d'elle. Et en attendant le prochain ordre de Neferet, dit-il avec mépris, je vais parcourir le royaume des rêves et donner une bonne leçon de cache-cache à Zoey – et à Neferet.

— Oui, père.

Rephaïm ouvrit la porte-fenêtre et s'avança sur le balcon en pierre. Il s'approcha de la balustrade, sauta dessus, puis il ouvrit ses grandes ailes couleur d'ébène et s'élança sans un bruit dans les airs.

Kalona sentit une pointe d'envie : il aurait aimé lui aussi s'envoler du sommet de cet immeuble majestueux et glisser dans le ciel noir, chassant, cherchant, trouvant.

Mais non. Cette nuit, il avait une autre tâche à accomplir. Cela ne se passerait pas dans le ciel, mais ce serait aussi satisfaisant.

Oui, la terreur pouvait être satisfaisante.

Il se rappela la dernière fois qu'il avait vu Zoey. C'était au moment où son esprit avait été arraché à l'Au-delà et où il avait retrouvé son corps. Cette fois, c'était lui qui avait été terrorisé, ayant échoué à maintenir l'âme de Zoey dans l'Au-delà, et donc à la tuer. L'Obscurité, obéissant à Neferet, avait réussi à le contrôler et à s'emparer de son âme.

Il frissonna. Il avait longtemps traité avec l'Obscurité, mais elle n'avait jamais d'emprise sur son âme immortelle.

L'expérience n'avait pas été agréable. Ce n'était pas la douleur qu'il avait trouvée insupportable, malgré sa force, mais son impuissance quand les tentacules de la Bête l'avaient emprisonné. Et le rejet de Nyx l'avait terrorisé.

« Me pardonneras-tu un jour ? » lui avait-il demandé.

La réponse de la déesse l'avait blessé plus profondément que l'épée de Stark.

« Si tu mérites un jour mon pardon, tu pourras me le demander. D'ici là, non. »

Mais elle lui avait porté le coup le plus terrible avec ces mots :

« Tu paieras la dette que tu dois à ma fille, et ensuite tu retourneras au monde et aux conséquences qui t'y attendent, sachant, mon combattant déchu, que ton esprit, tout comme ton corps, ne sera plus autorisé à entrer dans mon royaume. »

Puis elle l'avait abandonné aux griffes de l'Obscurité, le bannissant sans un dernier regard. C'était pire que la première fois : lorsqu'il était tombé, cela avait été son choix, et Nyx n'avait pas été froide et distante. Là, c'était différent. Il savait que la terreur de cette exclusion définitive le hanterait pour l'éternité, tout comme cette dernière vision douce-amère qu'il gardait de sa déesse.

— Non. Je ne veux pas y penser. Cela fait des siècles que Nyx n'est plus ma déesse, et je n'ai pas envie de redevenir son combattant, passant toujours après Érebus ! lança-t-il vers le ciel noir.

134

Il ferma la porte sur cette froide nuit de janvier et, ce faisant, ferma son cœur à Nyx.

Avec une détermination renouvelée, il traversa l'appartement meublé avec goût et entra dans la chambre luxueuse. Il fixa la porte derrière laquelle il entendait couler l'eau dans l'immense baignoire où Neferet aimait se prélasser. Il sentait le parfum de l'huile qu'elle ajoutait toujours à l'eau brûlante, mélange de jasmin et de girofle, élaboré spécialement pour elle à la Maison de la Nuit de Paris. Le parfum envahissait l'atmosphère, telle une brume étouffante.

Dégoûté, il fit demi-tour et revint sur ses pas. Sans hésitation, il se dirigea vers la porte-fenêtre la plus proche, l'ouvrit et inhala l'air froid et pur de la nuit.

Ce serait à elle de venir à lui, si elle daignait s'abaisser à cela. Il n'allait pas l'attendre dans son lit, prêt à lui donner du plaisir, comme s'il était sa chose.

Il poussa un grognement. Il n'y avait pas si longtemps que, attirée par son pouvoir, elle avait été sous son charme.

Il se demanda brièvement s'il ferait d'elle son esclave quand il aurait brisé l'emprise qu'elle avait sur son âme.

Cette pensée le ragaillardit. Plus tard. Il verrait ça plus tard. Il avait peu de temps, et il lui restait beaucoup de choses à accomplir avant de satisfaire encore une fois les désirs de Neferet.

Il s'approcha de la balustrade en pierre sculptée. Il déplia ses ailes noires, mais, au lieu de s'élancer du balcon et de goûter le charme de la nuit, il s'étendit sur le sol et referma ses ailes sur lui, comme pour se faire un cocon.

Insensible à la fraîcheur de la pierre, il s'imprégna de la force du ciel sans limites au-dessus de lui, et de la magie ancienne qui y flottait librement.

Il ferma les yeux et, lentement, il inspira et expira. En même temps que son souffle, l'image de Neferet le quitta. Lorsqu'il inspira de nouveau, il remplit ses poumons, son corps et son esprit du pouvoir invisible de la nuit sur lequel, grâce à son sang immortel, il possédait de l'autorité. Puis il pensa à Zoey.

Ses yeux de la couleur de l'onyx.

Sa bouche sensuelle.

Les traits cherokees hérités de ses ancêtres qui rappelaient tant l'autre jeune fille dont elle partageait l'âme et dont le corps l'avait autrefois ensorcelé.

— Trouvez Zoey Redbird ! dit-il tout bas, invoquant un pouvoir plus vieux que le monde.

— Conduisez mon esprit jusqu'à elle ! Suivez notre lien. Si elle est dans le royaume des rêves, elle ne peut pas m'échapper. Nos âmes se connaissent trop bien. Maintenant !

Aussitôt, l'esprit libéré de Kalona se mit à se déplacer vers l'est avec rapidité et détermination, à une vitesse vertigineuse.

Une fois sur l'île de Skye, il fit halte, surpris par le sort de protection de Sgiach. « Sgiach est décidément un vampire très puissant, songea-t-il. Dommage que ce ne soit pas elle qui ait répondu à mon appel, plutôt que Neferet... »

Sans perdre plus de temps, il franchit la barrière et il se laissa descendre doucement vers le château de la reine.

Il fit une nouvelle pause en passant devant le bosquet luxuriant qui entourait la demeure de la Grande Coupeuse de Têtes et de ses gardiens.

La marque de la déesse était partout. Cela fit trembler son âme d'une douleur qui transcendait le monde physique.

« Il ressemble tellement au bois de Nyx que je ne reverrai plus jamais... » se dit-il.

Kalona se détourna de la preuve de la bénédiction que Nyx avait accordée à quelqu'un d'autre, et il laissa son esprit s'approcher du château de Sgiach. Il y trouverait Zoey. Si elle dormait, il suivrait leur lien et pénétrerait dans le royaume des rêves.

Tout en survolant les lieux, il jeta un regard approbateur sur les têtes humaines. Il régnait là une atmosphère de bataille imminente qui lui plaisait. Alors qu'il se glissait dans les épais murs en marbre scintillant, il se dit qu'il préférerait cent fois vivre ici que dans la cage dorée de son appartement à Tulsa.

Il devait accomplir sa tâche et forcer Zoey à rentrer à la Maison de la Nuit. C'était comme un jeu d'échecs : elle était la reine qu'il devait prendre pour gagner la partie et être libre.

Utilisant les yeux de son âme, le pouvoir grâce auquel son sang immortel lui permettait de voir les couches mouvantes de réalité qui ondulaient et se soulevaient dans le monde des mortels, il se concentra sur le royaume des rêves, cette fantastique tranche de réalité qui n'était ni complètement corporelle ni complètement spirituelle.

Détendu et sûr de lui, il n'était pas du tout préparé à ce qui se produisit ensuite. Il eut une drôle de sensation, comme si son esprit avait pris la forme de grains de sable passant dans l'entonnoir étroit d'un sablier.

Puis ses sens s'aiguisèrent, en commençant par la vue. Ce qu'il vit le choqua tellement qu'il faillit perdre le fil de son voyage spirituel et retrouver brutalement son corps. Zoey lui souriait avec une expression chaleureuse et confiante.

Il la regardait, osant à peine respirer : il sut immédiatement qu'il n'était pas dans le royaume des rêves.

Le sens du toucher lui revint. Elle était allongée dans ses bras, nue, souple et chaude. Elle effleura son visage, caressa ses lèvres. Il colla machinalement ses hanches contre les siennes, et elle poussa un gémissement en fermant les yeux et en approchant ses lèvres des siennes.

Juste avant qu'elle l'embrasse, Kalona retrouva le sens de l'ouïe.

— Moi aussi je t'aime, Stark, dit-elle avant de s'abandonner à lui.

Le plaisir fut si inattendu, le choc si intense, que le lien se brisa. Le souffle court, Kalona se releva et s'appuya contre la balustrade. Le sang battait à ses tempes. Il secoua la tête, incrédule.

« Stark ! Le lien que j'ai suivi n'était pas celui que je partage avec Zoey, mais avec Stark ! Dans l'Au-delà, j'ai soufflé mon âme immortelle en lui. De toute évidence, un peu d'elle y est resté. »

Un sourire féroce apparut sur son visage.

— Et maintenant, j'ai accès au gardien et combattant de Zoey Redbird !

Il déplia ses ailes, rejeta la tête en arrière, et laissa un rire triomphant s'échapper dans la nuit.

— Qu'y a-t-il de si amusant, et pourquoi ne m'attends-tu pas dans mon lit ?

Il sursauta : Neferet se tenait dans l'embrasure de la porte, nue, une expression irritée sur son visage hautain.

— Je ne suis pas amusé, je suis joyeux. Et je suis là car je compte t'honorer ici, sur le balcon, avec ce ciel immense au-dessus de nous.

Il s'approcha d'elle, la prit dans ses bras et, fermant les yeux, imagina des cheveux et des yeux sombres alors qu'il la faisait crier de plaisir.

Stark

La première fois, ce fut si rapide qu'il n'était pas sûr que ce soit vraiment arrivé.

Cependant il aurait dû écouter son instinct. Même si cela ne dura que quelques minutes, il sentit que quelque chose n'allait pas du tout.

Il était au lit avec Zoey. Ils avaient parlé et ri, passant un bon moment en tête à tête.

Zoey sentait tellement bon, et elle avait la peau tellement douce qu'il devait sans cesse se répéter qu'il ne rêvait pas. Ils n'étaient plus dans l'Au-delà, mais dans la réalité, et Zoey était à lui.

C'était arrivé entre deux baisers passionnés. Il venait de lui dire qu'il l'aimait, et elle lui avait souri. Tout d'un coup, quelque chose en lui avait changé. Il s'était senti plus lourd, et pourtant plus fort. Une sorte de choc électrique avait frappé toutes ses terminaisons nerveuses. Elle l'avait embrassé et, comme toujours dans ces moments-là, il avait eu du mal à penser, mais il avait su que quelque chose ne tournait pas rond.

Il était resté sous le choc.

Et c'était étrange, car cela faisait un moment que Zoey et lui faisaient bien plus que s'embrasser. C'était comme si, quelque part en lui, un type qui n'était pas lui avait été sidéré par ce qui se passait entre eux.

Puis ils avaient commencé à faire l'amour et il avait ressenti un étonnement profond, brûlant. Tout lui paraissait plus intense chez Zoey. Et puis cette impression étrange avait cessé aussi vite qu'elle était arrivée.

Plus tard, il essaierait de se rappeler ce qui lui avait paru si bizarre – ce qui l'avait tant préoccupé. Mais, comme le soleil se levait, il glissa avec bonheur dans le sommeil, épuisé, et cela ne lui parut plus aussi important.

Après tout, pourquoi s'inquiéter ? Zoey était à l'abri, dans ses bras.

CHAPITRE DOUZE

Rephaïm

L e Corbeau Moqueur s'élança du dix-septième étage de l'immeuble Mayo. Les ailes dépliées, il survola le centre-ville, ses plumes noires le rendant presque invisible dans la nuit.

« Comme si les humains levaient le nez en l'air... Pauvres créatures esclaves de la terre ! » songea-t-il. Il était étrange qu'alors même que Lucie était intimement liée à la terre, il ne la voyait jamais comme un membre du troupeau pathétique des humains sans ailes, cloués au sol.

Lucie... Il se sentit faiblir, et ralentit. « Non. Je ne dois pas penser à elle pour l'instant. Je dois d'abord m'éloigner et m'assurer que mes pensées ne sont pas écoutées. Père ne doit pas se douter de quoi que ce soit, et Neferet ne doit surtout rien savoir. »

Il ferma son esprit à tout ce qui n'était pas le ciel nocturne, se mit à décrire des cercles ascendants. Lorsqu'il fut certain d'être seul, il se dirigea vers le nord-est, vers l'ancienne gare, et le lycée Will Rogers, où un mystérieux gang avait récemment semé la panique.

Tout comme Neferet, il avait la certitude que ces attaques étaient le fait des novices rouges. C'était bien l'unique point sur lequel Neferet et lui étaient d'accord...

Il volait rapidement, sans un bruit. Il tourna autour de la gare désaffectée à l'affût du moindre mouvement qui trahirait la présence d'un vampire ou d'un novice, rouge ou bleu. Il examinait le bâtiment avec un étrange mélange d'impatience et d'angoisse. Que ferait-il si Lucie était revenue s'installer avec ses novices au sous-sol et dans les galeries labyrinthiques ?

Alors, une vérité s'imposa à lui : il n'aurait pas à choisir. Lucie n'était pas là. Il l'aurait sentie. Rassuré, il se laissa tomber sur le toit de la gare.

Enfin seul, il s'autorisa à penser à la terrible suite d'événements qui avait eu lieu ce jour-là. Il replia ses ailes et se mit à faire les cent pas.

La Tsi Sgili tissait un filet qui risquait de détruire son univers. Son père allait se servir de Lucie dans sa guerre contre Neferet. « Père utiliserait n'importe qui pour remporter cette guerre ! » Au moment même où cette pensée traversait son esprit, il la rejeta, tout comme il l'aurait fait avant que Lucie n'entre dans sa vie.

— Entre dans ma vie ? dit-il avec un rire triste. Elle est plutôt entrée dans mon corps et dans mon âme !

Il s'immobilisa, se rappelant ce qu'il avait ressenti quand le pouvoir pur de la terre l'avait pénétré et guéri. Il secoua la tête.

— Non, ce n'est pas pour moi ! Ma place n'est pas à ses côtés ; c'est impossible. Elle a toujours été et sera toujours auprès de mon père, dans l'Obscurité.

Rephaïm regarda sa main, posée sur une grille en fer rouillée. Il n'était ni un homme, ni un vampire, ni un immortel. Il était un monstre.

Mais cela signifiait-il qu'il laisserait son père et la Tsi Sgili maltraiter Lucie sans rien faire ? Pire, participerait-il à sa capture ?

« Elle ne me trahirait pas, même si je la capturais, Lucie ne trahirait pas notre lien. »

Soudain, il se rendit compte de l'endroit où il se trouvait, de la grille qu'il touchait, et il retira brusquement sa main. C'était là que les novices rouges avaient pris Lucie au piège – là qu'elle avait failli perdre la vie. Elle avait été si grièvement blessée qu'il l'avait autorisée à boire son sang… et ils avaient imprimé.

— Par tous les dieux, si seulement je pouvais revenir en arrière !

Un écho moqueur lui répondit. Ses épaules s'affaissèrent et il baissa la tête, alors que sa main caressait de nouveau la grille rugueuse.

— Que dois-je faire ? gémit-il.

Il retira sa main et se ressaisit.

— Je ferai ce que j'ai toujours fait, décida-t-il : j'obéirai aux ordres de mon père. Si j'y parviens, et si j'arrive aussi à protéger Lucie, tant mieux. Si je ne peux pas la protéger, qu'il en soit ainsi. Ma voie a été choisie dès ma conception, je ne peux plus en dévier maintenant.

Ces mots étaient aussi froids que cette nuit de janvier, et pourtant il avait le cœur brûlant, comme si le sang bouillait dans ses veines.

Sans plus hésiter, il sauta du toit et repartit vers le lycée Will Rogers.

Le bâtiment principal était construit sur une petite butte, à côté d'un terrain de foot. Il était grand, rectangulaire, en brique pâle qui prenait la couleur du sable au clair de lune. Il atterrit sur l'une des deux grosses tours carrées finement sculptées et prit une posture défensive.

Il les sentait. L'odeur des novices rouges saturait l'atmosphère. Rephaïm se pencha pour regarder la cour de l'école. Il vit quelques arbres, une grande étendue de gazon, et rien d'autre.

Il attendit. L'aube était proche ; il savait que les novices ne tarderaient pas. Ils réussirent toutefois à le surprendre. Il n'aurait pas cru qu'ils se dirigeraient avec une telle assurance vers l'entrée principale, empestant le sang frais, menés par Dallas, récemment transformé.

Nicole était collée à lui. Cet imbécile de Kurtis devait se prendre pour leur garde du corps, car, tandis que Dallas posait la main sur la porte en acier, le novice massif se posta sur les marches en béton, un pistolet à la main, montant la garde.

Aucun d'eux ne leva les yeux vers le toit. Rephaïm secoua la tête avec mépris. Il n'avait plus rien de la créature brisée qu'ils avaient capturée ; ils n'avaient aucune idée de leur vulnérabilité s'il les attaquait.

Mais il n'attaqua pas. Il se contenta d'observer.

Il y eut un grésillement, et Nicole se frotta contre Dallas.

— Oh oui, bébé ! Fais-nous ton tour de magie.

Dallas éclata de rire et tira la porte dont il venait de désactiver l'alarme.

— Allons-y, dit-il à Nicole. Le jour va bientôt se lever, et tu dois t'occuper de quelque chose avant de dormir.

Nicole se frotta encore contre lui alors que les autres novices s'esclaffaient.

— Alors, descendons dans les tunnels, que je puisse me mettre au travail !

Dallas attendit qu'ils soient tous entrés avant de les suivre et de refermer la porte. Rephaïm entendit un autre grésillement, puis ce fut le silence. Quand, quelques instants plus tard, l'agent de sécurité passa en voiture devant le bâtiment, tout était calme. Lui non plus ne vit pas l'énorme Corbeau Moqueur accroupi au sommet de la tour.

Lorsque l'agent s'éloigna, Rephaïm s'élança dans les airs, l'esprit agité.

Dallas dirigeait les novices rouges. Il contrôlait la magie moderne, et cela lui donnait accès à tous les immeubles. Ils avaient fait leur nid dans le lycée Will Rogers.

Lucie devait être au courant. Elle se sentait responsable d'eux, même s'ils avaient essayé de la tuer. Et Dallas, que ressentait-elle pour lui désormais ?

La seule pensée de Lucie dans les bras de Dallas le mettait en colère. Pourtant, elle l'avait choisi lui, Rephaïm. Clairement. Complètement.

Mais cela ne changeait rien.

À ce moment-là, il se rendit compte qu'il volait vers le sud, et non pas vers l'immeuble Mayo. Il survola l'abbaye bénédictine à peine éclairée, puis Utica Square, s'approchant en silence des murs en pierre du campus. Il hésita.

Les vampires regarderaient en l'air, eux.

Il battit des ailes, prenant de la hauteur. Quand il se sentit en sécurité, il fit le tour du campus et plongea vers le mur Est, atterrissant dans un coin sombre. Puis il se déplaça d'ombre en ombre, se mêlant à la nuit grâce à ses plumes noires.

Avant d'avoir atteint le mur, il entendit le hurlement sinistre. Un cri était empli d'un tel désespoir qu'il en fut touché au cœur. D'où venait ce son terrible ?

Il trouva la réponse aussi rapidement qu'il s'était posé la question. Le chien. Le chien de Stark. Un jour, Lucie avait mentionné un de ses amis, Jack, qui avait plus ou moins adopté le labrador de Stark quand celui-ci était devenu un novice rouge. Elle lui avait dit que le chien et le garçon étaient devenus très proches et que c'était très bien pour eux deux, car l'animal était très intelligent, et Jack très gentil. Alors, les pièces du puzzle s'assemblèrent. Lorsqu'il atteignit la limite de l'école et entendit les pleurs qui accompagnaient le hurlement déchirant, il sut ce qu'il verrait quand il aurait discrètement escaladé le mur.

Il ne s'était pas trompé. L'innocent dont le sang avait payé la dette de Neferet à l'Obscurité était bien l'ami de Lucie, Jack.

Sous l'arbre brisé, là où Kalona s'était arraché de sa prison terrestre, un garçon à genoux sanglotait et criait : « Jack ! » encore et encore, à côté d'un chien qui hurlait dans l'herbe tachée de sang. Le cadavre n'était plus là, mais le sang, oui. Rephaïm se demanda si quelqu'un se rendrait compte qu'il y en avait beaucoup moins qu'il n'aurait dû. L'Obscurité s'était gavée du présent de Neferet.

À côté du garçon en pleurs, le maître d'armes, Dragon Lankford, se tenait en silence, une main sur son épaule. Lucie n'était pas là. Rephaïm essaya de se convaincre que c'était très bien comme ça. Il valait mieux qu'elle ne le voie pas, se disait-il, quand une vague d'émotions le frappa de plein fouet : tristesse, inquiétude et souffrance. À cet instant, Lucie accourut vers le trio en deuil, un gros chat couleur des blés dans les bras. C'était si bon de la voir que Rephaïm en oublia presque de respirer.

— Duchesse, tu dois arrêter maintenant, dit-elle, et sa voix tomba sur lui comme une averse en plein désert.

Elle s'accroupit à côté du gros animal et posa le chat entre ses pattes. Le félin se mit aussitôt à se frotter contre le chien, comme s'il voulait effacer sa souffrance. À la grande surprise de Rephaïm, celui-ci se calma et se mit à lécher son petit compagnon.

— C'est bien. Cameron va t'aider.

Lucie regarda le maître d'armes. Il hocha presque imperceptiblement la tête. Elle se tourna vers le garçon en pleurs et lui tendit des mouchoirs en papier.

— Damien, mon cœur, il faut que tu arrêtes toi aussi. Tu vas te rendre malade.

Il prit un mouchoir et s'essuya le visage.

— Je m'en fiche, dit-il d'une voix tremblante.

Lucie lui toucha la joue.

— Je sais bien, mais ton chat a besoin de toi, et Duchesse aussi. Et puis, Jack serait bouleversé s'il te voyait dans cet état.

— Jack ne me verra plus jamais.

Il avait cessé de pleurer, mais sa voix était pleine de désespoir. Rephaïm crut presque entendre son cœur se briser.

— Je n'y crois pas une seule seconde, dit Lucie d'une voix ferme. Et toi non plus, j'en suis sûre. Penses-y !

Damien la regarda, hagard.

— Je ne peux pas penser, Lucie. Je ne peux que ressentir.

— Un peu de cette tristesse disparaîtra, intervint Dragon, d'une voix rauque. Assez pour te permettre de penser à nouveau.

— C'est vrai. Écoute, Dragon ! Quand tu y arriveras, tu trouveras un fil de la déesse en toi. Suis-le. Rappelle-toi qu'il existe un Au-delà que nous partagerons tous. Jack est là-bas désormais. C'est à cet endroit que tu le reverras un jour.

Damien se tourna vers le maître d'armes.

— Vous avez réussi à faire ça ? La perte d'Anastasia vous paraît-elle un peu moins douloureuse ?

— Rien n'adoucit ma perte. Je cherche toujours le fil de la déesse.

Rephaïm ressentit un choc violent quand il comprit que c'était lui qui avait causé la souffrance du maître d'armes. Il avait tué le professeur de charmes et rituels,

Anastasia Lankford, la femme de Dragon. Il l'avait fait de sang-froid, avec une absence absolue de sentiment, à part peut-être de l'agacement, car cela l'avait retardé.

« Je l'ai tuée sans penser à rien ni à personne, sauf au besoin de suivre Père, de lui obéir. Je suis un monstre. »

Il ne pouvait s'empêcher de fixer le maître d'armes, qui portait sa peine comme un manteau. Il voyait presque le trou qu'avait laissé dans sa vie l'absence de sa compagne. Et pour la première fois de sa longue existence, il ressentit du remords.

Il n'avait pas fait le moindre bruit et n'avait pas bougé, mais il sut que Lucie l'avait repéré. Il posa lentement les yeux sur le vampire avec lequel il avait imprimé. Leurs regards se croisèrent et ne se lâchèrent plus. Les émotions de Lucie le submergèrent, comme si elle faisait exprès de les diriger sur lui. D'abord, de la surprise : il se sentit gêné, embarrassé. Puis de la tristesse, profonde, douloureuse. Il essaya de lui transmettre sa propre peine, espérant qu'elle comprendrait à quel point elle lui manquait, et combien il regrettait d'être en partie responsable de sa souffrance. Puis sa colère le frappa avec une telle force qu'il faillit tomber du mur de pierre. Il secoua la tête, sans savoir si c'était pour nier cette colère, ou ce qui l'avait provoquée.

— Damien et Duchesse, je veux que vous veniez avec moi, dit Lucie. Vous devez tous vous éloigner de cet endroit. Des choses terribles sont arrivées ici. Des créatures redoutables rôdent encore dans les parages, je le sens. Partons. Tout de suite !

Elle parlait au garçon, mais elle ne quittait pas Rephaïm du regard.

Le maître d'armes regarda autour de lui, et Rephaïm se figea, demandant aux ombres et à la nuit de l'envelopper.

— Que se passe-t-il ? Qu'y a-t-il là-bas ? lâcha Dragon.

— L'Obscurité, répondit Lucie, qui fixait toujours le Corbeau Moqueur, comme pour le poignarder en plein cœur. Une Obscurité sale, impardonnable, ajouta-t-elle avant de tourner le dos à Rephaïm. Mon instinct me souffle qu'il n'y a pas de quoi sortir votre épée ; il faut juste partir.

— Entendu, dit Dragon à contrecœur.

« Cet homme est une force avec laquelle il faudra compter à l'avenir », se dit Rephaïm. Et Lucie ? Sa Lucie ? Que deviendrait-elle ? « Pourrait-elle vraiment me haïr ? Me rejeter définitivement ? » Il passa au crible les sentiments de la jeune fille tandis qu'elle prenait la main de Damien et l'aidait à se lever, puis l'entraînait, suivie du chien, du chat et de Dragon, en direction des dortoirs. Il percevait sa peine et sa colère, et il les comprenait. Éprouvait-elle réellement de la haine à son égard ? Il n'en était pas sûr, pourtant il croyait tout au fond de lui qu'il la méritait. Non, il n'avait pas tué Jack, mais il était allié avec les forces qui l'avaient fait.

« Je suis le fils de mon père. C'est tout ce que je sais être. Je n'ai pas le choix. »

Quand Lucie fut partie, il se releva, courut sur le mur et s'envola. Ses ailes massives battant dans la nuit noire, il fit le tour du campus, sur ses gardes, et se dirigea vers l'immeuble Mayo.

« Je mérite sa haine… Je mérite sa haine… Je mérite sa haine… » se répétait-il.

Cette litanie tambourinait dans son esprit au rythme de ses ailes. Son désespoir se mêlait à l'écho de celui de Lucie, et ses larmes se mêlèrent à l'humidité du ciel froid.

CHAPITRE TREIZE

Lucie

— Oh, merde ! Tu veux dire que personne n'a appelé Zoey ? souffla Aphrodite.

Lucie la prit par le coude et la conduisit de force à la porte. De là, elles regardèrent le lit, où Damien était blotti contre Duchesse et Cameron. Tous les trois avaient fini par sombrer dans le sommeil, épuisés, désespérés.

Sans un mot, Lucie pointa le doigt sur Aphrodite, puis sur le couloir. Cette dernière fit une moue méprisante. Lucie croisa les bras. « Dehors ! » articula-t-elle en silence avant de la pousser sans ménagement et de refermer la porte derrière elles.

— Et parle à voix basse, murmura-t-elle d'un air mauvais.

— D'accord. Jack est mort, et personne n'a appelé Zoey ? répéta-t-elle.

— Non. Je n'ai pas vraiment eu le temps, figure-toi. Damien était hystérique, Duchesse aussi. L'école est sens dessus dessous. Je suis la seule grande prêtresse qui n'est pas, soi-disant, enfermée dans sa chambre pour prier, alors c'est moi qui ai dû gérer cette catastrophe, et le fait de perdre un ami.

— Oui, je comprends, et je suis triste, moi aussi, mais Zoey doit rappliquer ici. Si tu étais trop occupée, tu aurais dû laisser un professeur s'en charger. Plus vite elle sera au courant, plus vite elle reviendra.

Darius les rejoignit au pas de course et prit la main d'Aphrodite.

— C'était Neferet, hein ? fit-elle. Cette garce a tué Jack !

— Impossible, répondirent Darius et Lucie en chœur, et le combattant se lança dans des explications.

— Neferet était bien dans la salle du Conseil quand c'est arrivé. Damien a vu Jack tomber de l'échelle, et d'autres témoins corroborent cette version. Drew Partain traversait le parc quand il a entendu Jack chanter. Ensuite, l'horloge du temple de Nyx s'est mise à sonner, et la chanson s'est arrêtée...

— ... parce qu'il était mort, enchaîna Lucie d'une voix neutre, ne voulant pas montrer à quel point elle était secouée.

— Et vous êtes sûrs que Neferet était à la réunion à ce moment-là ? insista Aphrodite.

— J'ai entendu l'horloge sonner pendant qu'elle parlait, dit Lucie.

— N'empêche que je ne crois pas une seule seconde qu'elle ne soit pas derrière sa mort, s'entêta Aphrodite.

— Je ne prétends pas le contraire, Aphrodite. Neferet est plus dégoulinante que de la fiente d'oiseau sur un toit en tôle, mais les faits sont les faits. Elle était avec nous quand Jack est tombé de l'échelle.

— Toi et tes comparaisons de péquenaude... Et l'épée, alors ? Comment pourrait-elle l'avoir « accidentellement » presque décapité ?

— Les épées doivent être posées la pointe vers le haut. Dragon le lui avait expliqué. Quand Jack est tombé, il s'est empalé sur la lame. Techniquement, ça peut n'être qu'un accident.

Aphrodite passa une main tremblante sur son visage.

— C'est vraiment horrible, mais ce n'était pas un accident, conclut Lucie.

— Aucun de nous ne croit que Neferet est innocente sur ce coup, intervint Darius, mais ce que nous croyons et ce que nous pouvons prouver, ce sont deux choses différentes. Le Conseil Supérieur s'est déjà prononcé une fois en sa faveur, et donc en notre défaveur. Si on va le voir avec d'autres soupçons, mais sans aucune preuve, cela ne fera que nous discréditer un peu plus.

— Je comprends, mais ça m'énerve ! s'écria Aphrodite.

— Ça nous énerve tous, acquiesça Lucie. Ce n'est rien de le dire.

Remarquant la dureté inhabituelle de la voix de Lucie, Aphrodite haussa un sourcil.

— Alors, utilisons un peu de cet énervement pour mettre cette sorcière à la porte une bonne fois pour toutes !

— C'est quoi, ton idée ? demanda Lucie.

— D'abord, faire en sorte que Zoey ramène ses fesses. Neferet la déteste, et elle s'en prendra à elle —

comme toujours. Sauf que, cette fois, on sera tous aux aguets, et on aura des preuves que même le Conseil Supérieur ne pourra ignorer. J'appelle Zoey !

Sans attendre de réponse, Aphrodite sortit son téléphone et tapa le code.

— J'allais le faire, dit Lucie.

Aphrodite leva les yeux au ciel.

— C'est ça ! Il fallait y penser avant. De toute façon, tu es trop gentille. Ce dont Zoey a besoin, c'est se faire remonter les bretelles.

Elle écouta, puis leva à nouveau les yeux au ciel.

— C'est encore son message insupportable à la Walt Disney : « *Salut, tout le monde ! Laissez-moi un message et passez une super journée !* »

Elle inspira à fond en attendant le bip sonore. Lucie lui arracha le téléphone des mains.

— Zoey, c'est moi, pas Aphrodite. Il faut que tu me rappelles à la seconde où tu auras ce message. C'est important !

Sur ce, elle raccrocha et se tourna vers Aphrodite.

— OK, on va mettre les choses au clair. Ce n'est pas parce que j'essaie de me conduire correctement avec les autres que je suis trop gentille. Ce qui est arrivé à Jack est horrible ; on ne peut pas l'apprendre à Zoey par un message. N'oublie pas que son âme a été brisée.

Aphrodite lui arracha le téléphone des mains.

— Écoute, on n'a pas le temps de prendre des pincettes ! Elle doit remettre son costume de grande prêtresse, un point c'est tout.

— Non, c'est toi qui vas m'écouter, rétorqua Lucie en collant son visage à celui d'Aphrodite, si bien que

Darius se rapprocha automatiquement d'elles. Zoey n'a pas besoin de mettre un costume de grande prêtresse : c'est une grande prêtresse. Mais elle a perdu quelqu'un qu'elle aimait. Visiblement, c'est quelque chose que tu ne comprends pas. Prendre soin d'elle ne revient pas à la materner. C'est juste ce que font les amis.

Elle jeta un coup d'œil à Darius en secouant la tête.

— Et, non, ça ne veut pas dire que tu dois protéger Aphrodite contre moi. Bon sang, Darius, qu'est-ce qui t'arrive ?

Darius soutint son regard.

— L'espace d'un instant, tes yeux sont devenus rouges.

Lucie s'efforça de rester impassible.

— Oui, eh bien, ça ne m'étonne pas. Voir Neferet s'en tirer sans subir les conséquences de ce qu'elle a fait à Jack, c'est rageant. Tu éprouverais la même chose si tu avais été là.

— Probablement, mais mes yeux ne vireraient pas au rouge.

— Meurs et ressuscite, on en reparlera ensuite. En attendant, j'ai des choses à faire pendant que Damien dort. Aphrodite, tu veux bien rester là avec Darius, et veiller sur lui ? Je suis sûre que Neferet ne s'est pas enfermée dans sa chambre pour prier.

— Oui, on va rester, répondit Aphrodite.

— S'il se réveille, sois gentille avec lui.

— Ne fais pas l' idiote ! Bien sûr que je serai gentille.

— OK. Je n'en ai pas pour longtemps, mais si tu

as besoin de faire une pause, appelle les Jumelles, elles prendront le relais.

— Comme tu veux. Au revoir.

— Au revoir.

Alors qu'elle s'éloignait dans le couloir, Lucie sentait peser sur elle le regard interrogateur de Darius. « Je ne le laisserai pas me faire culpabiliser ! se dit-elle. Je n'ai rien fait de mal. Mes yeux deviennent rouges quand je suis énervée, et alors ? Ça n'a aucun rapport avec mon Empreinte avec Rephaïm. Je l'ai quitté ; ce soir, je l'ai ignoré. D'accord, je dois le trouver et lui demander ce qu'il sait sur la mort de Jack, mais ce n'est pas parce que j'en ai envie. C'est parce qu'il le faut. » Occupée à ressasser ce mensonge, absorbée dans ses pensées, elle fonça dans Érik.

— Hé, salut, Lucie ! Comment va Damien ?

— À ton avis ? Son petit ami vient de mourir d'une manière atroce. Il ne va pas bien. Mais il dort. Enfin !

— Ho ! protesta Érik. Tu n'es pas obligée de me parler sur ce ton. Je me fais vraiment du souci pour lui, et moi aussi je tenais à Jack.

Lucie le dévisagea avec attention. Il avait mauvaise mine, ce qui était franchement inhabituel pour Érik le beau gosse. Et, à l'évidence, il avait pleuré. Alors, elle se souvint qu'il avait été le camarade de chambre de Jack, et qu'il l'avait défendu quand cet abruti de Thor s'était moqué de lui parce qu'il était gay.

Elle lui toucha le bras.

— Désolée, je n'avais pas le droit de te parler comme ça. Je suis bouleversée, c'est tout. Attends, je vais reprendre dès le début.

Elle inspira et lui fit un sourire triste.

— Damien s'est endormi, mais il ne va pas bien. Il aura besoin d'amis comme toi à son réveil. Merci d'avoir pris de ses nouvelles, et d'être là pour lui.

Érik hocha la tête et lui pressa brièvement la main.

— Merci à toi. Je sais que tu ne m'aimes pas beaucoup, étant donné ce qui s'est passé entre Zoey et moi, mais je suis l'ami de Damien. Dis-moi si je peux faire quoi que ce soit.

Il hésita, regarda devant et derrière lui, comme pour s'assurer qu'ils étaient bien seuls, puis il s'approcha de Lucie et baissa la voix.

— C'est Neferet, pas vrai ?

Lucie écarquilla les yeux, étonnée.

— Qu'est-ce qui te fait dire ça ?

— Je la connais ! Je sais qu'elle cache bien son jeu. Je l'ai déjà vue tomber le masque, et ce n'était pas joli.

— Oui, la vraie Neferet n'est pas belle à voir. Mais, comme moi, tu as bien vu qu'elle était avec nous quand Jack est mort.

— Et pourtant, tu penses qu'elle est mêlée à sa mort.

Ce n'était pas une question, mais Lucie acquiesça.

— J'en étais sûr ! Cette Maison de la Nuit est pourrie. J'ai bien fait d'accepter ce poste à Los Angeles.

Lucie secoua la tête.

— Alors, c'est ça ? C'est ce que tu fais quand tu sais qu'il se passe des choses graves ? Tu t'enfuis ?

— Qu'est-ce qu'un vampire peut contre Neferet ? Le Conseil Supérieur l'a rétablie dans ses fonctions ; ils sont tous de son côté.

— Un vampire seul ne peut pas grand-chose. Mais plusieurs, oui.

— Quelques gamins et un ou deux vampires contre une grande prêtresse puissante et le Conseil Supérieur ? C'est de la folie !

— Non, ce qui est de la folie, c'est de s'écarter et de laisser gagner les méchants.

— Hé, j'ai la vie devant moi – une belle vie, une super carrière d'acteur, la célébrité, la fortune, tout ça. Comment peux-tu me reprocher de ne pas vouloir être mêlé à cette histoire ?

— Tu sais quoi, Érik ? Le mal l'emporte quand les gens bien ne font rien.

— Techniquement, je fais quelque chose : je m'en vais. Tu ne t'es jamais dit que, si tous les gens bien s'en allaient, les méchants se lasseraient peut-être de jouer tout seuls et finiraient par rentrer chez eux ?

— Autrefois, je pensais que tu étais le mec le plus cool de la terre, lâcha Lucie.

Les yeux bleus d'Érik pétillèrent, et il lui adressa son sourire à cent mille volts.

— Et maintenant, tu *sais* que c'est vrai ?

— Non, maintenant je sais que tu es un garçon faible et égoïste, qui s'en est toujours sorti grâce à sa beauté. Et c'est tout sauf cool.

Elle lui tourna le dos et lança en s'éloignant :

— Peut-être qu'un jour tu trouveras une cause à laquelle tu tiendras assez pour avoir le courage de la défendre.

— Oui, et peut-être qu'un jour toi et Zoey comprendrez que ce n'est pas votre boulot de sauver le monde ! répliqua-t-il.

Elle se contenta de hausser les épaules : Érik était un pion. La Maison de la Nuit serait mieux sans ce pauvre type qui tirait les autres vers le bas. Les choses allaient se corser, et les forts allaient devoir se retrousser les manches – les mauviettes n'avaient qu'à ficher le camp. Il était temps de rassembler les troupes.

— Et, non, ça n'a rien de bizarre d'avoir un Corbeau Moqueur dans ses rangs, marmonna-t-elle en se hâtant de rejoindre la Coccinelle de Zoey. De toute façon, je ne veux pas le rallier à ma cause ; je veux juste lui soutirer des informations. Une fois de plus.

Elle s'efforça de chasser de son esprit ce qui s'était passé entre eux la dernière fois qu'elle avait juste voulu l'interroger.

— Hé, Lucie ! Toi et moi, il faut qu'on…, l'interpella Kramisha.

Sans ralentir le pas, Lucie l'interrompit d'un geste.

— Pas maintenant. Je n'ai pas le temps.

— Je veux seulement…

— Non ! s'écria Lucie, et Kramisha s'arrêta net, les yeux écarquillés. Quoi que tu veuilles me dire, ça va attendre. Je n'aime pas te parler sur ce ton, mais j'ai des choses à faire, et il reste exactement deux heures et cinq minutes avant que le soleil ne se lève.

Elle courut jusqu'à la voiture, tourna la clé dans le contact, démarra et sortit du parking à toute vitesse.

Il ne lui fallut pas plus de sept minutes pour arriver au Gilcrease. Les dégâts causés par la tempête avaient été réparés et le portail électrique, qui fonctionnait de nouveau, était fermé. Elle se gara donc au bord de la route, sous un grand arbre. Elle s'enveloppa sans y penser du pouvoir qu'elle retirait de la terre et se dirigea vers le manoir délabré.

Tandis qu'elle traversait la demeure pour accéder au balcon, elle se rendit compte que presque rien n'avait changé depuis sa dernière visite.

— Rephaïm ?

Sa propre voix lui parut sinistre, trop forte dans la nuit froide.

Le placard où il avait fait son nid était ouvert, mais il n'était pas à l'intérieur.

Elle sortit sur le balcon. Personne. L'endroit était désert. En réalité, elle avait su qu'il n'était pas là avant même d'entrer dans le parc du musée ; sinon, elle l'aurait senti, tout comme elle l'avait senti un peu plus tôt, à la Maison de la Nuit, quand il la regardait. Leur Empreinte les liait — tant qu'elle était intacte, elle continuerait de les lier.

— Rephaïm, où es-tu ? demanda-t-elle au ciel silencieux.

Alors, ses pensées s'apaisèrent, s'ordonnèrent, et elle eut sa réponse. Elle l'avait toujours connue. Il avait seulement fallu qu'elle ignore sa fierté, ses blessures et sa colère pour la trouver. *Leur Empreinte les liait — tant qu'elle était intacte, elle continuerait de les lier.* Elle n'aurait pas à le chercher : c'est lui qui la rejoindrait.

Elle s'assit au milieu du balcon et se tourna vers le nord. Elle inspira profondément, puis expira. À l'inspiration suivante, elle se concentra et inhala les odeurs qui émanaient de la terre. Elle percevait l'humidité froide des branches nues, le sol gelé et crissant, la richesse du sol d'Oklahoma. Elle puisa dans la force de son élément et dit :

— Va rejoindre Rephaïm. Dis-lui de venir à moi. Dis-lui que j'ai besoin de lui.

Si elle avait ouvert les yeux, elle aurait vu la lueur verte qui l'entourait filer dans la nuit pour accomplir son souhait, obscurcie par une teinte écarlate.

CHAPITRE QUATORZE

Rephaïm

Il tournoyait autour de l'immeuble Mayo, redoutant d'atterrir et d'affronter Kalona et Neferet, quand il entendit l'appel de Lucie. Il sut immédiatement que c'était elle : il reconnut le pouvoir de la terre qui s'élevait dans les courants ascendants pour parvenir jusqu'à lui.

« Elle t'appelle... »

Il ne lui en fallait pas plus. Peu importait la colère qu'elle éprouvait envers lui ; peu importait qu'elle le déteste – elle l'appelait. Et il lui répondrait. Il savait que, quoi qu'il arrive, il s'efforcerait toujours de lui répondre.

Il se rappela les derniers mots qu'elle lui avait adressés... « Quand ton cœur comptera autant pour toi qu'il compte pour moi, reviens me voir. Ce sera facile. Tu n'auras qu'à suivre ton cœur... »

Rephaïm ignora la part de lui disant qu'il ne pouvait pas être avec elle – qu'il ne devait pas se soucier d'elle. Cela faisait plus d'une semaine qu'ils étaient séparés.

Chaque jour lui avait paru un siècle. Dire qu'il avait cru réussir à rester loin d'elle ! Son sang réclamait à grands cris sa présence. Même affronter sa colère, c'était mieux que rien. En plus, il fallait qu'il la voie pour la prévenir de ce que manigançaient Neferet et Kalona.

— Non ! hurla-t-il.

Il ne pouvait pas trahir son père. « Mais je ne peux pas trahir Lucie non plus », pensa-t-il, paniqué. Ne sachant trop ce qu'il allait faire, il se ressaisit et suivit le ruban vert qui le conduirait à Lucie, comme si sa vie en dépendait.

Lucie

Elle l'attendait avec un tel calme et une telle concentration qu'elle n'eut aucun mal à deviner qu'il était là. Lorsqu'il se laissa gracieusement tomber du ciel, elle était debout et regardait en l'air. Elle voulait rester de marbre : il était son ennemi, elle ne devait pas l'oublier.

À l'instant où il atterrit, leurs yeux se croisèrent et, à bout de souffle, il dit :

— J'ai entendu ton appel. Me voilà !

Au son de sa voix magnifique, elle se jeta dans ses bras et enfouit le visage dans ses plumes.

— Oh, déesse ! Tu m'as tellement manqué !

— Toi aussi, tu m'as manqué, dit-il en la serrant contre lui.

Ils restèrent ainsi, enlacés, tremblants, pendant un très long moment. Lucie buvait son odeur, ce mélange incroyable de sang mortel et immortel qui courait dans son corps avec lequel elle avait imprimé et qui, donc, courait aussi dans son corps à elle.

Puis, brusquement, comme s'ils venaient de se rendre compte qu'ils ne pouvaient pas se comporter ainsi, ils brisèrent leur étreinte et s'éloignèrent l'un de l'autre.

— Alors, euh… ça va ? lâcha Lucie.

Rephaïm hocha la tête.

— Oui. Et toi ? Tu n'as pas été blessée quand Jack est mort aujourd'hui ?

— Comment sais-tu qu'il est mort ? demanda-t-elle d'une voix aiguë.

— J'ai senti ta tristesse, dit-il en choisissant ses mots avec soin. Je suis allé à la Maison de la Nuit pour m'assurer que tu allais bien, et je t'ai vue avec tes amis. J'ai entendu le garçon qui pleurait en appelant Jack.

— Sais-tu quelque chose sur sa mort ?

— Peut-être. Comment était-il ?

— Gentil et doux. C'était le meilleur d'entre nous. Parle-moi, Rephaïm !

— Je sais pourquoi il est mort.

— Raconte-moi.

— Neferet avait une dette envers l'Obscurité, qui lui a permis d'emprisonner l'âme de mon père. Elle devait lui sacrifier une personne innocente, ne pouvant être corrompue.

— Jack ! Elle l'a tué, s'arrangeant pour paraître en dehors de ça ! s'écria Lucie. Quand l'accident s'est produit, elle parlait devant le conseil de l'école.

— La Tsi Sgili a livré ce garçon à l'Obscurité. Elle n'avait pas besoin d'être sur place, elle a chargé les tentacules du mal de la mise à mort.

— Comment prouver qu'elle est coupable ?

— C'est impossible. Tout est terminé ; elle a payé sa dette.

— Bon sang ! Je suis tellement furieuse que je pourrais lui arracher les yeux ! Neferet réussit toujours à s'en tirer et à gagner. Je ne comprends pas pourquoi. Ce n'est pas juste, Rephaïm. Ce n'est pas juste !

L'Oiseau Moqueur lui toucha l'épaule, et elle se laissa faire, retenant ses larmes, réconfortée par ce contact.

— Toute cette colère, dit-il, toute cette frustration et cette tristesse, je les ai senties tout à l'heure, et j'ai cru...

Il hésita, l'air de se demander s'il devait poursuivre.

— Tu as cru quoi ?

Il la regarda dans les yeux.

— J'ai cru que c'était moi que tu détestais. Et je t'ai entendue : tu as dit au maître d'armes que l'Obscurité, sale et impardonnable, rôdait dans les parages. Tu me fixais en le disant.

Elle acquiesça.

— Oui, je t'ai vu, et je savais que si je ne les faisais pas partir, ils te verraient eux aussi.

— Alors, tu ne parlais pas de moi ?

Cette fois, ce fut Lucie qui hésita. Elle soupira.

— J'étais énervée, effrayée et bouleversée. Je n'ai pas réfléchi. Je ne voulais pas te blesser, Rephaïm ! Comprends-moi : je dois savoir ce que Neferet et Kalona manigancent.

Rephaïm recula et s'approcha de la balustrade. Elle le suivit et ils contemplèrent la nuit tranquille.

— L'aube est proche, fit-il.

Lucie haussa les épaules.

— J'ai encore une demi-heure devant moi. Il ne me faut qu'une dizaine de minutes pour rentrer à l'école.

— Tu ferais mieux de partir maintenant et de ne pas prendre de risques. Le soleil peut te faire du mal, même si mon sang court dans tes veines.

— Je ne vais pas tarder. Alors, tu ne veux rien me dire sur Kalona ?

Il se tourna vers elle.

— Que penserais-tu de moi si je trahissais mon père ?

— Ce n'est pas quelqu'un de bien, Rephaïm. Il ne mérite pas que tu le couvres.

— Mais c'est mon père.

Lucie remarqua qu'il paraissait épuisé. Elle aurait voulu lui prendre la main, lui dire que tout irait bien. Mais c'était impossible : rien n'irait s'il était d'un côté, et elle de l'autre.

— Je ne peux pas lutter contre ça, dit-elle finalement. Tu devras comprendre seul ce qu'est Kalona. Je dois protéger les miens, et je sais qu'il est avec Neferet, quoi qu'elle en dise.

— Mon père est sous son emprise !

— Comment ça ?

— Il n'a pas tué Zoey, il n'a donc pas tenu la promesse qu'il avait faite à Neferet. Maintenant, la Tsi Sgili contrôle son âme immortelle.

— Oh, génial ! C'est comme si elle avait une arme chargée entre les mains, et cette arme, c'est Kalona.

Rephaïm secoua la tête.

— Mon père n'aime pas servir les autres. Ça l'agace d'être sous ses ordres. Cette arme risque donc de se retourner contre elle.

— Il va falloir que tu sois plus précis que ça, déclara Lucie, s'efforçant de contenir son excitation.

Le visage de Rephaïm se ferma, et elle sut qu'elle avait échoué.

— Je ne le trahirai pas.

— Je comprends. Mais cela veut-il dire que tu refuses de m'aider ?

Il la dévisagea pendant si longtemps qu'elle crut qu'il ne répondrait pas, et elle s'apprêtait à reformuler sa question lorsqu'il dit :

— Non, je veux t'aider, à condition que cela ne revienne pas à trahir mon père.

— Voilà qui ressemble beaucoup au premier accord que nous avons conclu ensemble ! Ça ne s'est pas trop mal terminé, si ? demanda-t-elle en lui souriant.

— Non, pas trop mal.

— Et on est tous contre Neferet, non ?

— Moi oui, répondit-il fermement.

— Et ton père ?

— Il veut se débarrasser de l'emprise qu'elle a sur lui.

— C'est presque la même chose que d'être de notre côté.

— Je ne peux pas être de ton côté, Lucie, tu ne dois pas l'oublier.

— Tu te battrais contre moi ? le défia-t-elle en soutenant son regard.

— Je ne te ferais jamais de mal.

— Alors, dans ce cas…, commença Lucie.

— Non, la coupa-t-il. Être incapable de te faire du mal et me battre pour toi sont deux choses différentes.

— Tu te battrais pour moi. Tu l'as déjà fait !

Rephaïm lui prit la main et la serra, comme pour l'aider à le comprendre.

— Je n'ai jamais combattu mon père pour toi.

Lucie glissa ses doigts entre les siens.

— Rephaïm, tu te souviens du garçon dont on a vu le reflet dans la fontaine ?

Il se contenta de hocher la tête.

— Tu sais qu'il est en toi, n'est-ce pas ?

Il acquiesça avec hésitation.

— Ce garçon est le fils de ta maman. Pas de Kalona. Ne l'oublie pas ! Et n'oublie pas ce pour quoi il se battrait. D'accord ?

À cet instant, le téléphone de Lucie sonna.

— C'est Zoey ! Je dois lui parler. Elle n'est pas au courant pour Jack.

Avant qu'elle ne décroche, Rephaïm lui prit la main.

— Zoey doit rentrer à Tulsa. Avec elle à nos côtés, nous pourrons vaincre Neferet. La Tsi Sgili la déteste, et sa présence la distraira.

— La distraira de quoi ? demanda Lucie en décrochant. Zoey, je te rappelle dans une minute, j'ai quelque chose d'important à te dire.

— Pas de problème, j'attends.

— À tout de suite.

La ligne fut coupée et Lucie regarda Rephaïm.

— Explique-moi.

— Mon père veut trouver un moyen de rompre les liens qui l'attachent à Neferet. Et pour ça, il faut qu'elle soit distraite. Or elle est obsédée par Zoey, tout comme par son désir d'utiliser les novices rouges isolés dans sa guerre contre les humains.

Lucie haussa les sourcils.

— Il n'y a pas de guerre entre vampires et humains !

— Si les souhaits de Neferet se réalisent, il y en aura une.

— Bon, alors, on doit faire en sorte que ça n'arrive pas. Il faut que Zoey rentre à la maison le plus vite possible.

— Ils veulent se servir de toi aussi, lâcha Rephaïm malgré lui.

— Hein ? De moi ? Pour quoi faire ?

Rephaïm détourna les yeux et répondit en un seul souffle.

— Neferet et Père pensent que tu n'as pas vraiment choisi la voie de la déesse. Ils croient pouvoir te persuader de passer du côté de l'Obscurité.

— Rephaïm, il n'y a pas la moindre chance que ça arrive. Je ne suis pas parfaite, j'ai mes problèmes, mais j'ai choisi Nyx et la Lumière quand j'ai retrouvé mon humanité. Je ne changerai jamais d'avis.

— Je n'en doute pas, Lucie, mais ils ne te connaissent pas aussi bien que moi. Il ne faut pas qu'ils soient au courant pour toi et moi, hein ?

— Ce serait terrible.

— Terrible pour toi ou pour moi ?

— Pour nous deux.

Elle soupira.

— Bon, je serai prudente, dit-elle en lui touchant le bras. Et toi aussi.

Il hocha la tête.

— Tu ferais mieux d'y aller. L'aube est proche ! Appelle Zoey en conduisant.

— Oui, oui, d'accord.

Ils ne bougeaient toujours pas.

— Moi aussi, je dois rentrer, dit-il, comme s'il essayait de s'en convaincre.

— Attends, tu n'habites plus ici ?

— Non. Maintenant que la tempête de glace est terminée, il y a trop d'humains dans les parages.

— Où es-tu alors ?

— Lucie, je ne peux pas te le dire !

— Parce que tu es avec ton père, c'est ça ? Je sais bien que Neferet mentait quand elle a déclaré qu'elle l'avait fait fouetter avant de le bannir pendant un siècle !

— Elle l'a vraiment fait fouetter. Les fils de l'Obscurité l'ont coupé cent fois.

Lucie frémit, se rappelant la douleur horrible que lui avait causée un seul de ses tentacules.

— Je ne souhaite ça à personne, fit-elle en regardant Rephaïm dans les yeux. Mais l'histoire du bannissement, c'est des conneries, hein ?

Il hocha la tête presque imperceptiblement.

— Et tu ne veux pas me dire où tu habites, car tu es avec Kalona ?

Il acquiesça de nouveau. Elle soupira.

— Alors, si j'ai besoin de te voir, il faudra que j'aille tourner autour d'un vieil immeuble sinistre ?

— Non ! Reste dans les endroits publics. Ne prends pas de risques ! Viens ici et appelle-moi comme tu l'as fait aujourd'hui. Promets-moi que tu n'essaieras pas de me trouver.

— OK, OK, promis. Mais ça marche dans les deux sens, Rephaïm. Je sais que c'est ton père, mais il est dangereux. Je ne veux pas qu'il t'entraîne dans sa chute. Alors, fais attention.

— Je ferai attention. Ce soir, j'ai vu les autres novices rouges. Ils ont fait leur nid au lycée Will Rogers. Dallas est avec eux.

— Rephaïm, s'il te plaît, ne dis rien à Neferet et Kalona.

— Pourquoi ? Pour que tu puisses leur montrer ta bienveillance et ton humanité, et leur donner une autre occasion de te tuer ?

— Non ! Ce n'est pas parce que j'essaie d'être gentille que je suis stupide ou faible. Bon sang, on croirait entendre Aphrodite ! Je ne compte pas aller leur parler seule. Je n'essaierais même pas de les raisonner. J'ai compris que ça ne servait à rien. Si je fais quelque chose, ce sera avec Lenobia, Dragon et Zoey, au minimum. Mais il ne faut pas qu'ils s'allient avec Neferet ! Alors, elle ne doit pas savoir où ils sont.

— Trop tard ! C'est elle qui m'a mis sur leur piste ce soir. Lucie, je te demande de garder tes distances avec eux. Ils veulent ta perte !

— Je serai prudente, je te l'ai déjà dit. Mais je suis

une grande prêtresse, et les novices rouges sont sous ma responsabilité.

— Pas ceux qui ont choisi l'Obscurité. Et Dallas n'est plus un novice. Il n'est pas sous ta responsabilité.

Lucie ne put s'empêcher de sourire.

— Tu es jaloux de Dallas ?

— Ne sois pas ridicule ! Je ne veux pas qu'il t'arrive quelque chose, c'est tout. Arrête de changer de sujet.

— Hé, Dallas n'est plus mon petit ami.

— Je sais.

— Tu en es sûr ?

— Oui, évidemment.

Il déplia ses ailes. Lucie en eut le souffle coupé.

— Appelle ta Zoey, reprit-il, et retourne à l'école. On se reverra bientôt.

— Prends soin de toi, d'accord ?

Il se tourna vers elle et posa les mains sur ses joues. Lucie ferma les paupières et resta sans bouger, puisant du réconfort et de la force dans ce contact. Il la relâcha trop vite. Il partit trop vite. Elle ouvrit les yeux et vit ses ailes majestueuses qui battaient, l'emmenant de plus en plus haut. Puis il disparut dans le ciel, qui commençait à peine à s'éclaircir à l'est.

Rephaïm avait raison. L'aube était proche. Elle composa le numéro de Zoey en se hâtant de retourner à la Coccinelle.

— Zoey, c'est moi. J'ai une triste nouvelle à t'annoncer, alors, prépare-toi…

CHAPITRE QUINZE

Zoey

— Zoey ? Tu es toujours là ? Ça va ? Dis quelque chose ! répétait Lucie d'une voix inquiète.

J'essuyai mon visage couvert de larmes et de morve et réussis à me reprendre un peu.

— Je suis là. Mais non, ça ne va pas, dis-je dans un hoquet.

— Je sais, je sais. C'est terrible !

— Il ne pourrait pas y avoir erreur ? Tu es sûre que Jack est mort ?

Je savais que c'était ridicule de croiser les doigts et de fermer les yeux, mais je devais tenter ma chance, comme une petite fille. « Je vous en prie, je vous en prie, faites que ce ne soit pas vrai... »

— Oui, hélas, dit Lucie à travers ses larmes. Il n'y a pas d'erreur, Zoey.

— Je n'arrive pas à y croire. Ce n'est pas juste ! criai-je.

Je me mis en colère pour ne pas m'effondrer.

— Jack était le garçon le plus gentil du monde. Il ne méritait pas ce qui lui est arrivé, repris-je.

— Non, lâcha Lucie d'une voix tremblante. Il ne le méritait pas. Je... je veux croire que Nyx est avec lui, et qu'elle prend soin de lui. Tu es allée dans l'Au-delà, Zoey. C'est vraiment merveilleux là-bas ?

Cette question me perça le cœur.

— Nous n'en avons jamais parlé, commençai-je, mais n'y es-tu pas allée toi aussi, avant de, tu sais, de... ?

— Non ! Je ne me rappelle pas grand-chose, mais c'était tout sauf agréable. Et je n'ai pas vu Nyx.

— Lucie, quand tu es morte, Nyx était avec toi. Tu es sa fille, ne l'oublie jamais. J'ignore pourquoi toi et les autres, vous êtes morts et avez ressuscité, mais je peux t'assurer que Nyx ne vous a jamais abandonnés. Vous avez juste pris un chemin différent de celui de Jack. Il est dans l'Au-delà avec la déesse, et il est plus heureux qu'il ne l'a jamais été. C'est difficile à comprendre, mais c'est ce qui s'est passé pour Heath : quelle qu'en soit la raison, le temps était venu pour lui de mourir, et il est à sa place là-bas, avec Nyx. Tout comme Jack désormais. Je sais au fond de moi qu'ils sont en paix.

Les mots m'étaient venus naturellement, et j'avais la certitude que c'était la déesse qui s'exprimait à travers moi.

— Tu me le promets ?

— Absolument. Nous devons rester fortes, nous soutenir, et croire que nous les reverrons un jour.

— Si tu le dis, alors, je te crois, fit Lucie, un peu

rassurée. Zoey, il faut vraiment que tu rentres à la maison. Je ne suis pas la seule à avoir besoin d'entendre tes paroles réconfortantes.

— Damien va mal, hein ?

— Oui, je me fais du souci pour lui, pour les Jumelles et pour tous les autres. Je me fais même du souci pour Dragon. J'ai l'impression que le monde entier se noie dans la tristesse.

Je ne savais pas quoi dire. Non, ce n'est pas vrai. Je voulais hurler : « Si le monde entier sombre dans la tristesse, pourquoi voudrais-je y retourner ? » Seulement, je ne pouvais pas me permettre cette faiblesse.

— On va s'en sortir, Lucie. On va y arriver !

— Oui ! dit-elle fermement. Toi et moi, on réussira bien à trouver un moyen de montrer au Conseil Supérieur qui est vraiment Neferet.

— Comment ces gens-là ont-ils pu croire toutes ces foutaises ?

— Ça... Je suppose qu'au final c'était la parole d'une grande prêtresse contre un jeune humain mort. Heath a perdu.

— Neferet n'est plus une grande prêtresse ! Bon sang, que ça m'énerve ! Elle va payer pour ce qu'elle a fait à Heath et à Jack, Lucie. J'y veillerai.

— Il faut l'arrêter.

— Oui.

J'étais persuadée que nous avions raison — nous devions faire tomber Neferet. Mais cette seule pensée m'épuisait. J'entendais la lassitude dans ma propre voix. J'étais fatiguée. J'en avais assez de combattre le mal

LIBÉRÉE

qu'elle représentait. C'était comme si, pour chaque pas
en avant, j'en faisais deux en arrière.

— Hé, tu n'es pas seule !

— Merci, Lucie. Je le sais. Et, de toute façon, il ne
s'agit pas de moi. Il s'agit de rendre justice à Heath,
Jack et Anastasia, et d'empêcher Neferet et sa horde
maléfique d'en faucher d'autres.

— Oui, on peut dire ça comme ça, seulement tu as
payé un fort tribut à l'Obscurité ces derniers temps...

— C'est vrai, mais je suis toujours debout. Ce n'est
pas le cas de tout le monde, dis-je en m'essuyant de
nouveau le visage avec ma manche. À ce propos, as-tu
vu Kalona ? Je ne crois pas une seconde que Neferet
l'ait banni ; c'est impossible ! Il doit être mêlé à tout
ça. Si elle est à Tulsa, il y est, lui aussi.

— Il paraît qu'elle l'a vraiment fait fouetter, en tout
cas.

— Waouh ! Même si je sais qu'il aime avoir mal, je
suis surprise qu'il ait accepté une chose pareille.

— Euh... En fait, il paraît qu'il n'était pas tout à
fait d'accord...

— Oh, je t'en prie ! Neferet est effrayante, mais elle
ne peut pas donner des ordres à un immortel.

— Apparemment, à lui, si. Elle a une sorte
d'emprise sur lui depuis qu'il a échoué dans sa mission
ignoble, qui consistait à... à te détruire.

— Bien fait pour lui ! Il ne doit pas trop apprécier
d'être commandé par Neferet, commentai-je.

— Oui, il va en baver !

Les gloussements de Lucie se joignirent aux miens.
L'espace d'un instant, nous étions de nouveau les meil-

177

leures amies du monde, prises de fou rire. Malheureusement, la triste réalité nous rattrapa trop tôt, et nos rires s'éteignirent plus vite qu'autrefois. Je soupirai :

— Bon, tu n'aurais pas vu Kalona, par hasard ?

— Non, mais j'ouvre l'œil.

— Bien ! Le surprendre avec Neferet alors qu'elle prétend l'avoir banni pour cent ans serait un grand pas pour prouver qu'elle ment. Pense aussi à regarder en l'air. Si Kalona est dans le coin, les horribles hommes oiseaux vont se pointer aussi.

— Compris.

— D'après Stark, un Corbeau Moqueur avait été vu à Tulsa ? fis-je, essayant de me rappeler ce qu'il avait dit exactement.

— Oui, une fois, il y a un moment.

La voix de Lucie était étrange, tendue, comme si elle avait du mal à parler. Comment le lui reprocher ? Je lui avais laissé la responsabilité de la Maison de la Nuit. Rien que de penser à ce qu'elle avait vécu avec Jack et Damien me donnait la nausée.

— Hé, fais attention, d'accord ? Je ne supporterais pas qu'il t'arrive quelque chose.

— Ne t'inquiète pas. Je serai prudente.

— Bon ! Le soleil va se coucher dans un peu moins de deux heures. Dès que Stark se réveille, on fait nos bagages et on saute dans le premier avion.

— Oh, Zoey ! Je suis tellement heureuse ! Tu m'as trop manqué, et on a besoin de toi.

Je souris.

— Toi aussi, tu m'as manqué. Et ça me fera du bien de rentrer à la maison, mentis-je.

— Envoie-moi un message quand tu sauras à quelle heure tu atterris. Si je ne suis pas dans mon cercueil, je viendrai te chercher à l'aéroport.

— Lucie, tu ne dors pas dans un cercueil.

— Je pourrais bien ; je suis morte dès que le soleil se lève.

— Oui, Stark aussi.

— Au fait, comment va ton mec ? Il se sent mieux ?

— Il va bien. Très bien, même.

Comme toujours, elle lut entre les lignes.

— Oh, non ! Vous n'avez quand même pas... ?

— Et si c'était le cas ? répondis-je en rougissant.

— Alors, je dirais : Yihaa !

— Va pour « Yihaa », alors.

— Des détails ! Je veux des détails, fit-elle avant de bâiller bruyamment.

— Tu en auras. L'aube est proche ?

— Elle est là. Je m'écroule, Zoey.

— Pas de problème. Va te coucher. À bientôt, Lucie.

— À plus tard, Zoey.

Je raccrochai et m'approchai de Stark, qui dormait comme une souche dans notre lit à baldaquin. J'aurais aimé pouvoir le secouer en criant : « Debout, fainéant ! », comme un mec normal, mais c'était impossible. Le soleil brillait vivement sur Skye dans un ciel sans nuages, ce qui était inhabituel. Stark serait incapable de communiquer avec moi avant – je regardai l'horloge – avant deux heures et demie. Au moins, cela me laissait le temps de faire mes bagages et d'aller annoncer à la reine que j'allais quitter cet endroit où je me sentais si bien, où je me sentais chez moi – cet endroit que Sgiach avait décidé d'ouvrir au monde, à cause de ce que j'avais apporté dans sa vie. Et maintenant, j'allais devoir partir et tout laisser derrière moi parce que…

Soudain, mon cerveau se réveilla, et tout se remit en place.

— Parce que je ne suis pas chez moi, murmurai-je. Chez moi, c'est Tulsa. Ma place est là-bas. Notre place est là-bas, ajoutai-je en regardant mon gardien endormi.

Je savais que c'était la vérité, tout en ayant conscience de ce qui m'attendait là-bas, et de ce que j'allais perdre en quittant cette île.

— Il est temps de rentrer à la maison, dis-je fermement.

— Dites quelque chose. N'importe quoi. Je vous en prie !

Je venais me confier à Sgiach et Seoras. Évidemment, raconter la mort horrible de Jack m'avait fait pleurer de nouveau. Je leur avais expliqué que je devais rentrer chez moi et me conduire comme une vraie prêtresse. Ils m'observaient en silence avec une expression aussi sage qu'indéchiffrable.

— La mort d'un ami est toujours difficile à accepter, surtout quand elle est prématurée, finit par dire Sgiach. Je suis désolée.

— Merci. Je n'arrive pas à y croire…

— Ça viendra, petite, intervint Seoras avec douceur. Mais n'oublie pas qu'une reine met sa peine de côté pour accomplir son devoir. Tu ne peux pas avoir les idées claires si elles sont saturées de chagrin.

— Je crains de ne pas être assez âgée pour tout ça.

— Personne ne l'est, mon enfant, fit Sgiach. J'aimerais que tu réfléchisses avant de prendre congé. Quand tu m'as demandé si tu pouvais rester sur Skye, je t'ai dit que tu le pourrais jusqu'à ce que ta conscience exige que tu partes. Est-ce ta conscience qui parle maintenant, ou bien tu cèdes aux machinations de tierces personnes, qui...

— Neferet pense certainement qu'elle me manipule, l'interrompis-je, mais la vérité, c'est que je dois rentrer à Tulsa, car chez moi, c'est là-bas.

Je regardai la reine dans les yeux, espérant qu'elle me comprendrait.

— J'adore être ici. Je m'y sens si bien qu'il me serait facile de rester. Mais, comme vous l'avez dit, la voie de la déesse n'est pas facile — agir comme il faut n'est pas facile. Si je restais ici en ignorant ce qui se passe chez moi, je tournerais le dos à ma conscience.

Sgiach hocha la tête, visiblement satisfaite.

— Alors, ton retour est justifié. Ce n'est pas le résultat d'une manipulation, même si Neferet ne le saura pas. Elle croira qu'une simple mort aura suffi à accomplir son désir.

— La mort de Jack n'a rien de simple ! m'emportai-je.

— Pour toi, non, mais une créature de l'Obscurité tue sans penser à rien d'autre que son propre intérêt, répondit Seoras.

— Et c'est pour ça que Neferet ne comprendra pas que tu es rentrée à Tulsa parce que tu as choisi de suivre la voie de la Lumière et de Nyx, enchaîna Sgiach. Cela la poussera à te sous-estimer.

— Merci, fis-je en soutenant son regard clair et fort. Je ne l'oublierai pas. Vous et Seoras pourriez venir avec moi, ainsi que les gardiens qui le souhaitent. Avec vous à mes côtés, Neferet ne gagnerait pas !

La réponse de Sgiach fut instantanée.

— Si je quittais mon île, le Conseil Supérieur le saurait aussitôt. Nous avons coexisté en paix pendant des siècles parce que j'ai choisi de me retirer de la politique et des restrictions de la société des vampires. Si je rejoignais le monde moderne, ils ne pourraient plus prétendre que je n'existe pas.

— Et si c'était une bonne chose ? lançai-je d'une voix forte. Il serait grand temps que le Conseil Supérieur se fasse secouer, et la société des vampires, aussi. Ils croient Neferet et la laissent tuer des innocents !

— Ce n'est pas notre combat, petite, déclara Seoras.

— Pourquoi ? Pourquoi combattre le mal ne vous concernerait-il pas ?

— Qu'est-ce qui te fait croire que nous ne combattons pas le mal ici ? intervint Sgiach. Depuis que tu es là, tu es touchée par la magie ancienne. Réponds-moi honnêtement : avais-tu déjà ressenti une chose pareille dans ton monde ?

— Non, admis-je en secouant la tête.

— Nous combattons pour préserver les coutumes d'antan, dit Seoras. Et, cela, on ne peut pas le faire à Tulsa.

— Comment pouvez-vous en être sûrs ?

— Parce qu'il n'y a plus de magie ancienne là-bas !
s'écria Sgiach.

Elle se leva et s'approcha de l'immense baie vitrée
qui donnait sur le coucher de soleil et la mer gris-bleu.
Elle avait le dos tendu, la voix lourde de tristesse.

— Là-bas, dans ton monde, la magie merveilleuse
de l'époque où le taureau était vénéré à l'égal de la
déesse, où l'équilibre entre le masculin et le féminin
était respecté, et où même les rocs et les arbres avaient
une âme, un nom, a été détruite par la civilisation,
l'intolérance et l'oubli. Aujourd'hui, les gens, humains
comme vampires, pensent que la terre n'est qu'une
chose morte sur laquelle ils vivent – que c'est mal, voire
barbare, d'écouter la voix des âmes du monde. Le cœur
et la noblesse de tout un mode de vie se sont asséchés
et ont disparu...

— Et ont trouvé ici un sanctuaire, enchaîna Seoras,
qui avait rejoint sa reine, mais me faisait toujours face.

Il lui toucha doucement l'épaule puis glissa ses doigts
sur son bras pour lui prendre la main. La reine réagit
aussitôt, comme si, grâce à lui, elle avait trouvé son
centre. Avant de se tourner vers moi, elle pressa, puis
relâcha la main de Seoras et, quand nos regards se
croisèrent, elle avait recouvré son calme, sa force et sa
noblesse.

— Nous sommes le dernier bastion des coutumes
d'antan. Pendant des siècles, mon devoir a été de protéger la magie ancienne. Cette île est sacrée. En véné-
rant le taureau noir et en respectant son homologue, le

taureau blanc, nous avons maintenu l'équilibre et pré-
servé un petit endroit dans le monde qui se souvient.

— Qui se souvient ?

— Oui, qui se souvient de l'époque où l'honneur
comptait plus que l'ego, où la loyauté ne passait pas
au second plan, dit Seoras d'un ton solennel.

— Mais cela existe à Tulsa ! protesta-t-il. On y
trouve honneur et loyauté, et le peuple de ma grand-
mère, les Cherokees, respecte toujours la terre.

— C'est peut-être vrai, mais pense à ce que tu as
vécu au bosquet. Pense à la manière dont cette terre te
parle, dit Sgiach. Je sais que tu l'entends ! Je le vois.
As-tu déjà ressenti une chose pareille en dehors de mon
île ?

— Oui, répondis-je sans réfléchir. Le bois de l'Au-
delà ressemble beaucoup au vôtre.

Alors, je réalisai ce que j'étais en train de dire, et je
compris qui était vraiment Sgiach.

— C'est ça, n'est-ce pas ? Vous possédez une part de
la magie de Nyx !

— D'une certaine façon. Mais ce que je possède réellement est plus ancien que la déesse. Tu vois, Zoey, le
monde n'a pas encore perdu Nyx. Pas encore. Mais son
côté masculin, si. Et je crains qu'à cause de ça l'équilibre entre le bien et le mal, entre la Lumière et l'Obscurité, n'ait été perdu également.

— Nous savons qu'il a été perdu, la corrigea genti-
ment Seoras.

— Kalona ! lançai-je. Il est le signe de ce déséqui-
libre. C'était le combattant de Nyx autrefois. Tout s'est

gâté quand il est arrivé dans notre monde, car là n'est pas sa place.

Cela ne m'inspirait pas de pitié pour lui, mais je commençais à comprendre le désespoir que j'avais si souvent perçu chez lui.

— Tu comprends pourquoi il est important que je ne quitte pas mon île ? demanda Sgiach.

— Oui, répondis-je à contrecœur. Mais vous vous trompez quand vous affirmez qu'il n'y a plus de magie ancienne dans le monde extérieur. Le taureau noir s'est bien matérialisé à Tulsa !

— Oui, mais seulement après le taureau blanc, fit remarquer Seoras.

— Zoey, j'aimerais beaucoup croire que la magie d'antan n'est pas entièrement détruite là-bas, et c'est pourquoi je voudrais te donner quelque chose.

Elle sépara une longue chaîne en argent de tous les colliers qu'elle portait au cou, l'enleva et me la montra. Une pierre de la couleur du lait, parfaitement ronde, lisse et douce y était attachée. Elle brilla à la lumière des torches qu'on commençait à allumer dans la salle. Je la reconnus aussitôt.

— C'est un morceau de marbre de Skye !

— Oui, un morceau particulier, que l'on appelle pierre du prophète. Elle a été trouvée il y a plus de cinq siècles par un combattant lors de sa quête chamanique, alors qu'il courait sur la crête Cuillin de cette île.

— Un combattant dans une quête chamanique ?

Sgiach sourit et posa les yeux sur Seoras.

— Cela arrive à peu près une fois tous les cent ans.

— Oui, c'est vrai, dit Seoras en lui rendant son sourire dans une intimité qui me donna envie de détourner les yeux.

— À mon avis, une fois tous les cent ans, c'est largement assez.

Je ressentis une bouffée de plaisir idiot en entendant la voix de Stark. Il se tenait dans l'ombre, à l'entrée de la pièce, les cheveux ébouriffés, les yeux plissés pour se protéger des derniers rayons du soleil. Avec son jean et son T-shirt, il ressemblait tellement à celui qu'il était autrefois que le mal du pays me frappa avec violence – pour la première fois depuis que j'étais revenue à moi-même. « Je rentre à la maison. » À cette pensée, je souris et me précipitai vers lui. Sgiach fit un geste de la main. Les lourds rideaux se fermèrent, plongeant les lieux dans la pénombre, ce qui permit à Stark de sortir de son coin. Il me prit la main.

— Hé, je pensais que tu ne te lèverais pas avant au moins une heure, dis-je en me serrant contre lui.

— Tu étais bouleversée, et ça m'a réveillé, murmura-t-il à mon oreille. Et puis, j'ai fait des rêves bizarres.

Je m'écartai pour le regarder dans les yeux.

— Jack est mort.

Il secoua la tête, ne voulant admettre la vérité, puis me toucha la joue et poussa un long soupir.

— C'est ce que j'ai senti. Ta tristesse. Zoey, je suis désolé ! Qu'est-ce qui s'est passé ?

— Officiellement, c'est un accident. En fait, c'était Neferet, mais personne ne peut le prouver.

— Quand partons-nous pour Tulsa ?

LIBÉRÉE

Je le remerciai d'un sourire alors que Sgiach répondait :

— Ce soir, dès que vos bagages seront prêts.

— C'est quoi, cette pierre ? demanda Stark.

Siagch prit de nouveau le bijou dans sa main. J'admirais sa beauté lorsqu'elle tourna légèrement sur sa chaîne. Mon regard fut attiré par le cercle parfait en son centre. Soudain, le monde se rétrécit, et tout mon être se concentra sur le trou dans la pierre.

La pièce disparut ! Luttant contre une vague de nausée, je regardai le milieu sous-marin où je m'étais trouvée. Des formes indistinctes y flottaient, dans des teintes de turquoise et de topaze, de cristal et de saphir. Je crus voir des ailes, des nageoires, de longues cascades de cheveux... « Des sirènes ? Ou alors des artémies ? Je perds complètement la tête. » pensai-je avant de perdre mon combat contre le vertige et de tomber par terre.

— Zoey ! Regarde-moi ! Dis quelque chose !

J'ouvris les yeux. Stark, l'air paniqué, était penché sur moi et me secouait par les épaules comme un fou.

— Arrête ! dis-je faiblement en essayant en vain de le repousser.

— Laisse-la respirer. Elle ira mieux dans un moment, dit Sgiach avec un calme extrême.

— Elle s'est évanouie. Ce n'est pas normal ! protesta Stark.

— Je suis consciente, fis-je. Aide-moi à m'asseoir.

Stark fronça les sourcils, mais il s'exécuta.

— Bois ça ! me recommanda Sgiach en me mettant un verre à pied sous le nez. Il est normal qu'une grande prêtresse s'évanouisse la première fois qu'elle se sert du pouvoir d'une pierre de prophète, surtout si elle n'y est pas préparée.

Me sentant beaucoup mieux après avoir bu le mélange de vin et de sang (beurk, mais miam !), je me levai.

— Vous n'auriez pas pu m'y préparer ?

— La pierre de prophète ne fonctionne qu'avec certaines prêtresses, et si ça n'avait pas été le cas avec toi, tu aurais été déçue, répondit Seoras.

— Qu'est-ce que j'ai vu, au juste ?

— À quoi ça ressemblait ? demanda Sgiach.

— À un étrange bocal à poissons, juste là, dans ce petit trou, dis-je en désignant la pierre sans la regarder.

Sgiach sourit.

— Où avais-tu vu une chose pareille auparavant ?

Je compris enfin.

— Dans le bosquet ! C'étaient des lutins d'eau !

— En effet.

— Alors, c'est une sorte de détecteur de magie ? intervint Stark en jetant un regard en biais sur la pierre.

— Oui, quand elle est utilisée par une prêtresse qui possède le pouvoir adéquat.

Sur ce, Sgiach passa la chaîne autour de mon cou. La pierre de prophète se cala entre mes seins, chaude, comme si elle était vivante.

— Elle détecte vraiment la magie ? demandai-je en posant la main dessus, dans un geste respectueux.

— Une seule sorte de magie, répondit Sgiach.

— La magie de l'eau ?

— Peu importe l'élément, dit Seoras. C'est la magie qui compte.

Avant que je puisse traduire verbalement la perplexité qui se lisait sur mon visage, Sgiach m'expliqua :

— Une pierre de prophète est liée seulement à la magie la plus ancienne : celle que je protège sur mon île. Je t'en fais cadeau pour que tu puisses reconnaître les Anciens qui existent encore dans le monde extérieur.

— Et si elle trouve ce genre de magie, que devra-t-elle faire ? voulut savoir Stark.

— Se réjouir ou s'enfuir, selon ce qu'elle découvrira, dit Sgiach avec un sourire malicieux.

— Attention, petite, c'est la magie ancienne qui a envoyé ton combattant dans l'Au-delà, et c'est elle aussi qui a fait de lui ton gardien, intervint Seoras. Elle n'a pas été affaiblie par la civilisation.

Je refermai la main sur la pierre, et me souvins de Seoras penché sur Stark, en transe, le tailladant encore et encore pour que son sang coule sur la pierre qu'ils appelaient *Seol ne Gigh*, le Siège de l'Esprit. Soudain, je me rendis compte que je tremblais.

La main puissante et chaude de Stark se posa sur la mienne et je croisai son regard serein.

— Ne t'en fais pas, dit-il. Je serai avec toi, et qu'il faille se réjouir ou s'enfuir, nous serons ensemble. Je te protégerai toujours, Zoey.

CHAPITRE SEIZE

Lucie

— Elle va vraiment rentrer ?

La voix de Damien était si basse et si tremblante que Lucie dut se pencher vers le lit pour l'entendre. Elle ignorait si ses yeux vitreux et vides étaient l'effet du cocktail médicaments / sang que les infirmières lui avaient préparé, ou sûrement du choc !

— Oui. Zoey et Stark ont pris le premier avion. Ils seront là dans trois heures. Si tu veux, tu peux venir les chercher à l'aéroport avec moi.

Assise au bord du lit, Lucie caressait la tête de Duchesse. Damien ne répondit pas, se contentant de fixer le mur, l'air absent. Duchesse remua faiblement la queue.

— Tu es un bon chien ! lui dit Lucie.

Le labrador lui lança un regard expressif, mais il ne bougea pas, ni ne poussa son habituel petit aboiement joyeux. Lucie fronça les sourcils.

— Damien, Duchesse a mangé quelque chose aujourd'hui ?

Il leva la tête, hagard et confus, observa le chien prostré sur le lit, et son regard s'éclaircit un peu. Avant qu'il puisse répondre, la voix de Neferet retentit derrière Lucie, qui ne l'avait pas entendue entrer.

— Lucie, Damien est dans un état émotionnel très fragile. Il ne devrait pas avoir à se soucier de trivialités telles que nourrir un chien ou aller chercher une novice à l'aéroport comme un domestique.

Pleine d'une maternelle sollicitude, elle rejoignit Damien. Automatiquement, Lucie sauta sur ses pieds et recula de plusieurs pas. Elle aurait pu jurer que quelque chose de sombre et de menaçant commençait à ramper vers elle.

Duchesse eut la même réaction. Elle se glissa par terre et se coucha d'un air morose au pied du lit, rejoignant le chat endormi, sans quitter Damien des yeux.

— Depuis quand aller chercher une amie à l'aéroport est-ce une tâche dégradante ? Croyez-moi, je connais les fonctions d'un domestique !

Lucie se retourna vers la porte, où venait d'apparaître Aphrodite.

— Aphrodite, j'ai quelque chose à dire, qui s'applique à toutes les personnes présentes dans cette pièce, déclara Neferet d'un ton royal, assuré.

Aphrodite posa la main sur sa hanche.

— Ah oui ? Et quoi ?

— J'ai décidé que Jack aurait droit aux mêmes funérailles qu'un vampire adulte. Son bûcher funéraire sera allumé ce soir, dès que Zoey sera arrivée à la Maison de la Nuit.

— Vous attendez Zoey ? demanda Lucie. Pourquoi ?

— Parce que c'était une bonne amie de Jack, bien sûr. Et, plus important encore, dans la confusion qui a régné ici quand j'étais sous l'influence de Kalona, c'est Zoey qui a été sa grande prêtresse. Cette période regrettable est, fort heureusement, derrière nous, mais il me paraît normal que ce soit elle qui embrase le bûcher.

Lucie n'en revenait pas : les superbes yeux émeraude de Neferet paraissaient si innocents ! Pourtant la Tsi Sgili tissait un filet de mensonges et de tromperie. Elle mourait d'envie de lui hurler qu'elle connaissait son secret : Kalona était à Tulsa, et c'était elle qui le contrôlait, non l'inverse. Elle n'avait jamais été sous son influence ! Elle avait su depuis le début qui il était. Elle mentait comme un arracheur de dents.

Cependant son terrible secret l'empêcha de lâcher ce qu'elle avait sur le cœur. Aphrodite inspira bruyamment pour se lancer dans une diatribe endiablée, mais à ce moment-là Damien se prit le visage entre les mains et se mit à pleurer.

— Je... je n'arrive pas à croire qu'il est parti !

Lucie bouscula Neferet et le serra dans ses bras. À son grand soulagement, Aphrodite passa de l'autre côté du lit et posa la main sur l'épaule du jeune homme. Elles regardaient toutes les deux Neferet avec méfiance.

Le visage de cette dernière restait impassible.

— Damien, je vais laisser tes amies te réconforter, dit-elle. L'avion de Zoey atterrira à l'aéroport international à 21 h 58. Le bûcher sera allumé à minuit précis. Je vous reverrai tous à ce moment-là.

Sur ce, elle quitta la pièce et referma la porte sans un bruit.

— Sale menteuse ! souffla Aphrodite, l'air dégoûté.

— Elle manigance quelque chose, fit Lucie, songeuse.

Damien s'écarta brusquement d'elles.

— Je n'y arriverai pas, lâcha-t-il en secouant la tête.

Ses sanglots avaient cessé, mais des larmes coulaient toujours sur ses joues. Duchesse rampa vers lui et s'allongea sur ses genoux, la truffe collée à sa joue. Cammy se blottit tout contre lui. Damien enlaça les deux animaux et poursuivit :

— Je ne peux pas dire au revoir à Jack et gérer les histoires de Neferet. Je comprends pourquoi l'âme de Zoey s'est brisée !

— Non, non et non ! s'écria Aphrodite en agitant le doigt devant le visage du garçon. Pas question que je revive ça. Jack est mort, et c'est affreux. Mais tu dois tenir le coup.

— Pour nous, enchaîna Lucie d'une voix plus douce en foudroyant Aphrodite du regard. Tu dois tenir le coup pour tes amis. On a failli perdre Zoey ; on a perdu Jack et Heath. On refuse de te perdre, toi.

— Je ne peux plus la combattre, dit Damien. Je n'en ai plus la force.

— Mais si, affirma Lucie. Tu as le cœur meurtri, mais il bat toujours.

— Il guérira, acquiesça Aphrodite avec gentillesse.

Damien la regarda, les yeux brillant de larmes.

— Qu'est-ce que tu en sais ? Tu n'as jamais vécu ça !

Il se tourna vers Lucie :

— Toi non plus. Ça fait trop mal.

Lucie déglutit. Elle ne pouvait pas lui dire, *leur* dire, que, plus elle se rapprochait de Rephaïm, plus elle souffrait.

— Zoey va vraiment rentrer ? reprit Damien.

— Oui, répondirent-elles ensemble.

— OK. Bien. Ça ira mieux quand elle sera là, soupira le garçon en serrant Duchesse dans ses bras, alors que Cameron se pressait contre lui.

— Hé, Duchesse et Cammy, j'ai l'impression qu'un bon dîner ne vous ferait pas de mal, fit Aphrodite en tapotant la tête du chien d'un geste hésitant, à la grande surprise de Lucie. Je ne vois rien de comestible ici ! Franchement, Maléfique n'accorderait pas même un regard à ces croquettes. Et si je demandais à Darius de m'aider à leur trouver quelque chose à manger ? À moins que tu ne préfères que je les emmène.

Damien sursauta.

— Non ! Je veux qu'ils restent avec moi.

— OK, pas de problème. Darius va s'en occuper, déclara Lucie.

— La nourriture de Duchesse est dans la chambre de Jack, lâcha Damien dans un sanglot.

— Tu veux qu'on te l'apporte ? demanda Lucie en lui prenant la main.

— Oui, murmura-t-il avant d'ajouter, livide : Et ne les laissez pas jeter les affaires de Jack ! Je veux les voir !

— J'y ai déjà pensé : j'ai demandé aux Jumelles de tout ranger en douce dans des cartons, dit Aphrodite, toute fière d'elle.

Damien esquissa un sourire, oubliant un instant que sa vie avait sombré dans la tragédie.

— Tu as réussi à convaincre les Jumelles de faire quelque chose pour toi ? s'étonna-t-il.

— Eh oui.

— Qu'est-ce que ça t'a coûté ? voulut savoir Lucie.

— Deux chemises de la nouvelle collection d'un grand créateur.

— Parce que les collections de printemps sont déjà sorties ? demanda Damien.

— Non, mais on peut toujours y accéder avant les autres quand on a une mère bourrée de fric qui connaît les bonnes personnes. Bon, Lucie, viens avec moi ! Tu m'aideras à porter le sac de croquettes.

— Ce qui veut dire que c'est moi qui le porterai, c'est ça ?

— Exact ! répondit Aphrodite avant d'embrasser Damien sur le front.

— Je reviens tout de suite, promit-elle. Oh, tu veux que j'amène Maléfique ? Elle...

— Non ! s'écrièrent en chœur Damien et Lucie, horrifiés.

Aphrodite releva la tête, indignée.

— Je vois que je suis la seule à comprendre cette magnifique créature.

Lucie ignora sa remarque.

— À tout à l'heure, lança-t-elle en collant un baiser sur la joue de Damien.

Une fois dans le couloir, elle fit les gros yeux à Aphrodite.

— Rassure-moi, tu n'as pas pu penser que lui enlever ces animaux serait une bonne idée ?

Aphrodite leva les yeux au ciel et rejeta ses cheveux en arrière.

— Bien sûr que non, idiote ! J'espérais qu'il protesterait, et que ça le sortirait de sa torpeur. Et ça a marché ! Darius et moi allons apporter de quoi les nourrir ; on en profitera pour passer au réfectoire, où on prendra quelque chose pour nous. Comme Damien est trop bien élevé pour nous laisser manger seuls, ou pour nous mettre à la porte, il avalera quelque chose avant d'aller affronter cet horrible bûcher funéraire.

— Neferet manigance quelque chose !

— C'est sûr.

— Au moins, ça aura lieu devant tout le monde, poursuivit Lucie, alors elle ne pourra pas tuer Zoey, par exemple.

Aphrodite lui lança un regard dédaigneux.

— C'est bien devant tout le monde que cette sorcière a libéré Kalona, tué Shekinah et ordonné à Stark, qui ne peut pas rater sa cible, de tirer une flèche sur toi, et puis sur Zoey. Réfléchis un peu !

— Avec moi, il y avait des circonstances atténuantes, objecta Lucie. Et Neferet n'a pas demandé à Stark de tirer sur Zoey devant toute l'école, juste devant nous et quelques nonnes. Sauf qu'elle prétend maintenant que Kalona l'y avait obligée. Et c'est toujours notre parole contre la sienne. Personne n'écoutera des ados, ni les nonnes.

— En gros, dans quelques heures, on sera dans le caca. Alors, dis à Zoey de se tenir prête ; moi, j'essaierai de soutenir Damien pour qu'il ne se transforme pas en flaque de larmes, de morve et d'angoisse ce soir.

— Tu sais, pas la peine de faire semblant de ne pas te soucier de lui. Je t'ai vue l'embrasser sur le front.

— Je le nierai chaque jour de ma vie, longue et réussie.

— Aphrodite ! Quand est-ce que tu cesseras d'être obsédée par ta propre personne ?

Elles s'arrêtèrent brusquement sur la véranda du dortoir des filles car Kramisha jaillit de l'ombre.

— Il va falloir que j'aille me faire ausculter, fit Lucie. Ces derniers temps, je ne vois ni n'entends rien avant que ce ne soit juste sous mon nez.

— Ce n'est pas ta faute, dit Aphrodite, pince-sans-rire. C'est Kramisha ! Elle est noire ; voilà pourquoi on ne l'avait pas vue.

Kramisha se redressa et la regarda d'un air mauvais.

— Je rêve, ou tu viens de...

— Oh, ça va, épargne-moi la tirade sur les préjugés, l'oppression, le racisme, bla-bla-bla ! lança Aphrodite en passant devant elle. C'est moi, la minorité ici, alors fous-moi la paix.

Kramisha cligna plusieurs fois des yeux, stupéfaite.

— Euh, Aphrodite, intervint Lucie. Tu ressembles à Barbie. En quoi appartiens-tu à une minorité ?

Aphrodite désigna son front qui ne portait aucune marque.

— Je suis humaine dans une école remplie de vampires et de novices ! répondit-elle avant d'entrer dans le bâtiment.

— Cette fille n'est pas humaine ! commenta Kramisha. Je dirais plutôt qu'elle ressemble à un chien enragé, mais je ne veux pas offenser la race canine.

Lucie poussa un soupir.

— Tu as raison. Elle n'est vraiment pas sympa, même quand elle l'est, si tu vois ce que je veux dire.

— Non, mais ça fait un moment que je ne te comprends pas trop, Lucie.

— Tu sais quoi ? siffla Lucie. Je n'ai pas besoin d'entendre ça maintenant. Je ne vois pas de quoi tu parles, et pour tout dire, je m'en fiche. À plus, Kramisha !

Elle voulut s'en aller, mais la poétesse lui barra le passage.

— Tu n'as pas le droit de me parler sur un ton aussi haineux, fit-elle en lissant sa perruque blonde.

— Mon ton n'a rien de haineux. Il est agacé, et las.

— Arrête de mentir ! Tu n'es pas très douée pour ça.

— D'accord ! Je ne mentirai plus.

Lucie se racla la gorge, s'ébroua comme un chat pris sous une averse, planta un grand sourire sur son visage, et reprit d'une voix gaie :

— Hé, copine, c'est super de te voir, mais j'ai à faire.

— Tu ne peux pas partir comme ça, car je dois te donner...

— Kramisha !

En secouant la tête, Lucie repoussa la feuille de papier violet que Kramisha lui tendait.

— Je ne peux pas me dédoubler ! s'écria-t-elle. Je suis déjà empêtrée dans un sacré tas de fumier – si tu me passes l'expression. Je ne peux rien gérer d'autre.

Garde tes poèmes pour toi. Du moins jusqu'à ce que Zoey soit revenue et qu'elle m'ait aidée à empêcher Damien de se jeter du toit du dortoir. Crois-moi, je préférerais qu'il y ait plusieurs moi. Comme ça, je pourrai garder un œil sur Damien, m'assurer que Dragon ne va pas péter les plombs, aller chercher Zoey à l'aéroport et l'accueillir comme il faut, manger quelque chose, et me préparer à ce que Neferet manigance pour ce soir. Oh, et peut-être que l'un de ces moi pourrait prendre un bon bain moussant en écoutant de la country et en lisant *La nuit du Titanic*.

— *La nuit du Titanic* ? Le bouquin que j'ai lu l'année dernière en cours de littérature ?

— Oui. On venait de le commencer quand je suis morte et que j'ai ressuscité, ce qui fait que je n'ai jamais pu le finir. Il me plaisait bien.

— Alors, je vais t'aider : LE BATEAU COULE. ILS MEURENT. Fin. Maintenant on peut passer à quelque chose d'un peu plus important ?

— Oui, espèce de sorcière, je sais comment ça finit, mais ça n'empêche pas que ce soit une bonne histoire, éclata Lucie en coinçant une mèche rebelle derrière son oreille. Tu prétends que je ne sais pas mentir ? OK, alors voilà la vérité : comme dirait ma maman, j'ai trop de choses dans mon assiette pour reprendre ne serait-ce qu'une cuillerée de stress, alors laisse tomber le poème pendant un moment, veux-tu ?

À la surprise totale de Lucie, Kramisha s'avança dans son espace personnel, puis l'attrapa par les épaules et la regarda droit dans les yeux.

— Tu n'es pas une simple personne. Tu es une grande prêtresse. Une grande prêtresse rouge. La seule qui existe. Du coup, tu dois apprendre à faire face au stress, même en grande quantité. Surtout maintenant que Neferet fout le bazar partout.

— C'est vrai, mais…, commença Lucie.

Kramisha la secoua sans ménagement.

— Jack est mort ! Qui sait qui sera le suivant ?

Soudain, la poétesse lauréate cligna des yeux, son front se plissa, et, se penchant en avant, elle renifla bruyamment.

Lucie se dégagea et recula d'un pas.

— Qu'est-ce qu'il y a ?

— Tu sens bizarre ! Je l'avais déjà remarqué quand tu étais à l'hôpital.

— Et… ?

— Et ça me rappelle quelque chose, répondit Kramisha en l'étudiant attentivement.

— Ta mère ? suggéra Lucie avec une nonchalance feinte.

— Ne t'aventure pas sur ce terrain-là ! Et, tant que j'y suis, où tu vas comme ça ?

— Je suis censée aider Aphrodite à trouver de la nourriture pour le chat de Damien et pour Duchesse. Ensuite, je dois foncer chercher Zoey à l'aéroport et lui dire que Neferet a décidé que ce serait elle qui allumerait le bûcher funéraire de Jack.

— Oui, on est tous au courant. Ça ne me paraît pas normal !

— Que Zoey allume le feu ?

— Non, que Neferet la laisse faire, dit Kramisha en

se grattant la tête, ce qui fit bouger sa perruque. Bon,
écoute-moi : laisse Aphrodite prendre soin de Damien.
Toi, tu dois aller là-bas, ajouta-t-elle en désignant de
sa main aux ongles dorés les arbres qui encerclaient le
campus, et faire ce truc de communion avec la terre,
tu sais, quand tu deviens toute verte.

— Kramisha, je n'ai pas le temps ! Et puis...

— Je n'ai pas terminé, la coupa la poétesse. Tu dois
recharger tes batteries avant que tout ne vire au désas-
tre. Je ne suis pas sûre que Zoey sera prête pour affronter ce qui pourrait se passer ce soir.

Lucie réfléchit, sans se formaliser de son ton autori-
taire.

— Tu as peut-être raison, finit-elle par dire.

— Elle ne veut pas rentrer, hein ?

Lucie haussa les épaules.

— Tu en aurais envie, toi ? Elle a beaucoup souffert.

— Je la comprends, et c'est justement pour ça que
je t'en parle. Mais elle n'est pas la seule à avoir souffert
ces derniers temps ; certains souffrent beaucoup en ce
moment même. On doit tous se secouer et assurer.

— Hé, elle rentre ! Elle va assurer.

— Je ne pense pas qu'à Zoey, dit Kramisha en pliant
la feuille de papier en deux et en la tendant à Lucie,
qui la prit à contrecœur.

Quand elle soupira et commença à la déplier, Kramisha dit :

— Tu n'es pas obligée de la lire devant moi.

Lucie la regarda d'un air interrogateur.

— Bon, je vais te parler comme une poétesse lauréate
s'adressant à sa grande prêtresse, alors écoute-moi bien.

Prends ce poème et va le lire au milieu des arbres. Médite là-dessus. Quoi qu'il se passe maintenant dans ta vie, il faut que ça change. C'est le troisième avertissement sérieux que je reçois à ton sujet. Arrête d'ignorer la vérité, Lucie, car ce que tu fais n'affecte pas que toi. Tu m'entends ?

Lucie inspira profondément.

— Je t'entends.

— Bien. Alors, vas-y, dit Kramisha en poussant la porte du dortoir.

— Tu veux bien expliquer à Aphrodite que j'avais quelque chose à faire ?

— Oui, mais ça te coûtera un dîner au resto.

— Oui, d'accord. Comme tu veux.

— Et je commanderai tout ce que je veux.

— Bien sûr, marmonna Lucie en soupirant à nouveau avant de se diriger vers les arbres.

CHAPITRE DIX-SEPT

Lucie

Lucie savait que Kramisha avait raison : elle devait arrêter d'ignorer la vérité, et changer les choses. Seulement, elle n'était pas sûre de reconnaître la vérité ; alors la modifier... Elle lut le poème. Sa vision de nuit était si bonne qu'elle n'avait même pas besoin de sortir de l'ombre des grands chênes des marais qui encadraient le campus du côté d'Utica Street.

— C'est tellement compliqué, les haïkus ! marmonnat-elle en relisant les trois vers :

> *Ton cœur doit savoir*
> *Tous les secrets étouffent*
> *Liberté, son choix*

Il s'agissait de Rephaïm. Et d'elle. Encore une fois... Elle s'assit au pied d'un arbre et s'appuya contre son écorce rugueuse, cherchant du réconfort dans la force du chêne. « Mon cœur doit savoir, mais savoir quoi ? Oui, garder ce secret m'étouffe, mais je ne peux parler de Rephaïm à personne. Serait-il capable de choisir la liberté ? Son père a une telle emprise sur lui qu'il n'y songe même pas ! »

En réalité, l'immortel et son fils, mi-oiseau, mi-humain, avaient une relation abusive et ancestrale. Kalona avait toujours traité Rephaïm comme un esclave, et lui avait fait croire des bêtises pendant si longtemps que Rephaïm n'avait pas conscience que ce n'était pas normal.

Ça ne collait pas non plus qu'elle se soit trouvée dans cette situation avec Rephaïm — liée à lui par une Empreinte et par une dette qu'elle avait contractée auprès du taureau noir, la Lumière.

— Enfin, ce n'est pas qu'à cause de cette dette, chuchota-t-elle. Je... je l'aime bien. Je voudrais savoir si c'est dû à notre Empreinte, ou s'il y a vraiment quelque chose en lui qui fait qu'il mérite d'être aimé.

Elle resta assise là, regardant l'enchevêtrement des branches nues au-dessus de sa tête.

— La vérité, c'est que je ne devrais plus jamais le revoir.

L'idée que Dragon puisse découvrir qu'elle avait sauvé le meurtrier d'Anastasia, puis imprimé avec lui, la terrorisait.

— Si j'arrête de le voir, peut-être qu'il s'en ira. Est-ce ça, la liberté évoquée par le poème ? Notre Empreinte s'effacerait-elle si nous étions séparés ? J'aimerais tellement qu'on me dise quoi faire ! fit-elle d'un air morose.

Comme pour lui répondre, la brise nocturne lui rapporta un écho de sanglots. Les sourcils froncés, elle se leva, pencha la tête sur le côté, écouta. Oui, quelqu'un pleurait à fendre le cœur non loin de là. Elle n'avait pas vraiment envie de savoir qui c'était ; elle avait eu sa dose de larmes. Mais ces pleurs déchirants étaient d'une tristesse si profonde qu'elle ne pouvait les ignorer. Elle emprunta donc l'allée qui menait au grand portail en fer noir, l'entrée principale de l'école.

En s'en approchant, Lucie vit une femme agenouillée derrière la grille. Elle avait posé une grande couronne funéraire composée d'œillets roses en plastique contre un pilier en pierre. En larmes, elle alluma une bougie verte et sortit de son sac une photo. Lorsqu'elle la porta à ses lèvres pour l'embrasser, Lucie vit enfin son visage.

— Maman ! chuchota-t-elle.

Sa mère redressa aussitôt la tête.

— Lucie ? Mon bébé !

Au son de la voix de sa maman, le nœud qui s'était formé dans son ventre se délia, et elle courut vers le portail. Sans autre pensée que de rejoindre sa mère au plus vite, elle escalada le mur et sauta de l'autre côté.

— Lucie ? répéta celle-ci dans un murmure.

Incapable de parler, Lucie se contenta de hocher la tête, et des larmes se mirent à couler sur ses joues.

— Oh, mon bébé ! Je suis si heureuse de te revoir une dernière fois, dit sa mère en se tamponnant le visage avec un mouchoir. Ma puce, es-tu heureuse là où tu es ? demanda-t-elle en la dévorant du regard, comme pour mémoriser son visage. Tu me manques tellement ! Je voulais venir plus tôt déposer cette couronne pour toi, avec la bougie et cette jolie photo de toi quand tu étais petite, mais je n'ai pas pu à cause de la tempête. Et puis quand les routes ont été rouvertes, je n'ai pas réussi à me décider, car venir ici, c'est comme de mettre un point final. Accepter que tu es vraiment morte.

— Oh, maman ! Toi aussi, tu m'as manqué !

Lucie se jeta dans ses bras et enfouit son visage dans son manteau bleu, reniflant l'odeur de sa maison, bouleversée.

— Allons, allons, ma puce, dit sa mère avec douceur. Ça va aller. Tu verras. Tout ira bien.

Elle lui caressait le dos en la serrant contre elle.

Virginia « Ginny » Johnson souriait à travers ses larmes.

— Tu n'aurais pas des cookies aux pépites de chocolat, par hasard ? demanda Lucie.

Sa mère fronça les sourcils.

— Chérie, comment veux-tu manger ?

— Ben, avec ma bouche, comme toujours.

— Ma puce, dit sa mère, l'air perplexe. Je suis heureuse que tu communiques avec moi depuis le monde des esprits, mais je dois avouer qu'il va me falloir un moment pour m'habituer au fait que tu es un fantôme.

— Maman, je ne suis pas un fantôme.

— Une sorte d'apparition, alors ? Je t'assure, chérie, ça n'a aucune importance. Je t'aime toujours. Je viendrai te rendre visite très souvent si c'est cet endroit que tu veux hanter. Je demande juste pour savoir.

— Maman, je ne suis pas morte ! Enfin, je ne le suis plus.

— Tu as vécu une expérience paranormale ?

— Tu n'imagines même pas ! Je suis morte, mais

j'ai ressuscité, et maintenant, j'ai ça, dit Lucie en désignant ses tatouages rouges sur son front, qui représentaient des feuilles de lierre. Je suis la première grande prêtresse des vampires rouges de l'histoire.

À ces mots, les yeux de Mme Johnson se remplirent à nouveau de larmes.

— Pas morte…, lâcha-t-elle entre deux sanglots. Pas morte…

Lucie la serra contre elle.

— Je suis désolée de ne pas te l'avoir dit. Je voulais le faire, je te jure ! Seulement, je n'étais plus vraiment moi-même quand je suis revenue à la vie. Et puis tout a dégénéré à l'école. Je ne pouvais pas partir, et je ne pouvais pas te l'annoncer par téléphone. Je ne me voyais pas dire : « Salut, ne raccroche pas. C'est moi, je ne suis plus morte. » Je ne savais pas quoi faire. Je suis désolée, répéta Lucie en s'accrochant de toutes ses forces à sa maman.

— Ce n'est rien, ma chérie. Tout ce qui compte, c'est que tu sois là, et que tu ailles bien. Tu vas bien, hein, mon bébé ?

— Oui, maman.

Mme Johnson souleva le menton de sa fille et la força à la regarder. Puis elle secoua la tête.

— Ce n'est pas beau, de mentir à sa maman !

Lucie sentit que le barrage de secrets et de mensonges commençait à se rompre en elle.

Sa mère lui prit les mains et la regarda droit dans les yeux.

— Je suis là. Je t'aime. Dis-moi, ma puce !

— C'est grave. Très grave.

— Chérie, rien ne peut être plus grave que de te croire morte, dit sa mère d'une voix chaleureuse, pleine d'amour.

L'amour inconditionnel de sa maman fut ce qui décida Lucie. Elle inspira profondément, et quand elle relâcha son souffle, tout sortit d'un seul coup.

— J'ai imprimé avec un monstre, maman. Une créature mi-humaine, mi-oiseau. Il a fait des choses terribles. Il a même tué des gens.

L'expression du visage de Mme Johnson ne changea pas ; elle serra juste plus fort les mains de sa fille.

— Cette créature est là ? À Tulsa ?

— Oui, mais elle se cache. Personne n'est au courant à la Maison de la Nuit.

— Pas même Zoey ?

— Surtout pas Zoey ! Elle péterait les plombs. Je vais être démasquée, maman, et je ne sais pas quoi faire. Tout le monde va me détester !

— Moi, je ne te détesterai pas, chérie.

Lucie soupira, puis sourit.

— Mais tu es ma maman. C'est ton boulot, de m'aimer.

— C'est aussi le boulot de tes amis, si ce sont de vrais amis... Je ne connais pas grand-chose aux vampires, mais je crois savoir qu'une Empreinte, c'est sérieux. Est-ce qu'il t'a forcée à imprimer avec lui ? Si c'est le cas, on peut en parler aux enseignants de l'école. Ils comprendront, et ils pourront sûrement t'aider à t'en débarrasser.

— Non, maman, j'ai imprimé avec Rephaïm parce qu'il m'a sauvé la vie.

— C'est lui qui t'a ramenée d'entre les morts ?

— Non, je ne sais pas trop comment j'ai ressuscité, mais Neferet y est pour quelque chose.

— Alors, je dois la remercier. Peut-être que je...

— Non ! Reste à distance de l'école, et de Neferet ! Si elle l'a fait, ce n'était pas par bonté. Elle prétend être quelqu'un de bien, mais c'est tout le contraire.

— Et cette créature que tu appelles Rephaïm ?

— Il a été longtemps du côté de l'Obscurité. Son père est extrêmement dangereux, et il lui a embrouillé les idées.

— Mais il t'a sauvé la vie ?

— Deux fois, et il le referait, j'en suis sûre.

— Chérie, réfléchis bien avant de répondre aux questions que je vais te poser.

— D'accord.

— Vois-tu du bon en lui ?

— Oui, répondit Lucie sans hésitation. Vraiment.

— Serait-il capable de te faire du mal ? Es-tu en sécurité avec lui ?

— Maman, il a affronté pour moi un monstre épouvantable, et il a été blessé. Je pense honnêtement qu'il préférerait mourir que me faire du mal.

— Je ne comprends pas comment quelqu'un peut être un mélange d'oiseau et d'humain, mais je vais mettre ça de côté, parce qu'il t'a sauvée, et parce que tu es liée à lui. Cela signifie, ma chérie, que lorsqu'il devra choisir entre son passé et un avenir différent avec toi, il te choisira, toi, s'il est assez fort.

— Mais mes amis ne l'accepteront pas, et les vampires essaieront de le tuer !

— Si ton Rephaïm a fait des choses terribles, il doit en assumer les conséquences. C'est sa responsabilité, pas la tienne. N'oublie pas que tu ne peux assumer que tes propres actes. Fais ce qui est juste, ma puce. Tu as toujours été douée pour ça ! Protège-toi, défends ce en quoi tu crois. Et si ce Rephaïm reste à tes côtés, tu pourrais être surprise par ce qui arrivera.

Les yeux de Lucie se remplirent de larmes.

— Il m'a conseillé d'aller te voir. Il n'a jamais connu sa maman : elle a été violée par son père, et elle est morte à sa naissance.

— Chérie, un monstre ne dirait pas ça.

— Il n'est pas humain, maman.

— Lucie, tu n'es pas humaine non plus, plus maintenant, et ça n'a aucune importance pour moi. Ce Rephaïm t'a sauvé la vie. Alors, ça me serait égal qu'il soit moitié rhinocéros, affublé d'une corne sur le front. Il a volé au secours de ma petite fille, et la prochaine fois que tu le verras, tu lui feras un gros bisou de ma part.

Lucie ne put s'empêcher de glousser en imaginant sa mère embrasser Rephaïm.

— D'accord.

Mme Johnson reprit une expression sérieuse.

— Tu sais, plus vite tu mettras tout ça au clair, mieux ce sera.

— Je vais essayer. Il se passe beaucoup de choses, et ce n'est pas le moment d'en rajouter.

— C'est toujours le bon moment pour dire la vérité.

— Oh, maman ! Comment je me suis fourrée dans cette situation ?

— Je suis certaine que quelque chose dans cette créature t'a touchée, et que ce quelque chose la sauvera peut-être.

— Seulement s'il est assez fort. Et ça, je l'ignore. Il n'a jamais tenu tête à son père !

— Son père accepterait-il que tu sois avec lui ?

— Sûrement pas.

— Ce qu'il a fait pour toi signifie à mes yeux qu'il lui tient déjà tête.

— Non, ça s'est passé quand son père était loin. Maintenant, il est revenu, et Rephaïm est de nouveau sous son emprise.

— Vraiment ? Comment le sais-tu ?

— Il me l'a dit aujourd'hui, quand...

Lucie s'interrompit, les yeux écarquillés. Sa maman sourit.

— Tu vois ?

— Oh, déesse ! Tu as peut-être raison !

— Bien sûr que j'ai raison ! Je suis ta mère.

— Je t'aime, maman.

— Moi aussi, je t'aime, ma petite fille.

CHAPITRE DIX-HUIT

Rephaïm

— Je n'arrive pas à croire que tu vas faire ça ! lança Kalona en arpentant le balcon du Mayo.

— Je l'ai décidé parce que c'est nécessaire, parce que c'est le moment, et parce que c'est la bonne chose à faire ! répliqua Neferet en haussant la voix.

— La bonne chose ? Comme si vous étiez une créature de la Lumière ! ne put s'empêcher de dire Rephaïm, incrédule.

Neferet se tourna vers lui et leva la main. À la vue des filaments de pouvoir qui tremblaient autour d'elle et entraient sous sa peau, il eut le ventre noué. Il ne se rappelait que trop bien la fois où ces fils d'Obscurité l'avaient touché... Il recula d'un pas.

— Tu oses remettre mon autorité en question, homme-oiseau ? siffla-t-elle, l'air menaçant.

— Rephaïm ne remet pas ton autorité en question, et moi non plus, intervint Kalona d'une voix calme en se plaçant entre Neferet et son fils. Nous sommes simplement surpris.

— C'est la dernière chose à laquelle s'attendent Zoey et ses alliés. Alors, même si ça me répugne, je vais m'y abaisser. Ainsi, Zoey sera impuissante. Si elle s'avise ne serait-ce que de murmurer un mot contre moi, elle montrera qu'elle n'est qu'une gamine capricieuse.

— Je pensais que vous préféreriez la détruire que l'humilier, dit Rephaïm.

— Je pourrais la tuer ce soir, mais je serais forcément désignée coupable, répliqua Neferet d'un ton méprisant. Même ces vieilles gâteuses du Conseil Supérieur se croiraient obligées de venir ici pour me surveiller et se mêler de mes affaires. Non, je ne suis pas encore prête, et en attendant, je veux bâillonner Zoey Redbird, et la remettre à sa place. Ce n'est qu'une novice, et à partir de maintenant elle sera traitée comme telle. Et, tant que je m'occupe de son cas, je réglerai aussi le compte à son petit groupe d'amis – en particulier à celle qui s'est proclamée première grande prêtresse rouge, ajouta-t-elle avec un rire moqueur. Lucie, une grande prêtresse ? J'ai l'intention de révéler ce qu'elle est vraiment !

— C'est-à-dire ? fit Rephaïm, qui s'efforçait de garder l'expression la plus neutre possible.

— Un vampire qui a connu l'Obscurité, et qui l'a même accueillie à bras ouverts.

— Mais, au final, elle a choisi la Lumière.

Neferet plissa les yeux. Rephaïm comprit qu'il était allé trop loin.

— Le fait d'avoir été touchée par l'Obscurité l'a changée pour toujours, dit Kalona.

Neferet lui adressa un sourire suave.

— Tu as tout à fait raison, mon consort.

— Mais cela n'a-t-il pas fortifié la Rouge ? insista Rephaïm, incapable de se taire.

— Bien sûr que si. La Rouge est puissante, en dépit de son manque d'expérience, et c'est précisément pour ça qu'elle pourrait nous être très utile, répondit Kalona.

— Je pense qu'il y a bien des choses qu'elle n'a pas révélées à ses petits camarades, reprit Neferet. Je l'ai vu quand elle était dans l'Obscurité. Elle s'en délectait. Nous devons la surveiller et voir ce qui se cache sous cette façade innocente et lumineuse.

— Comme vous le ssssouhaiterez, fit Rephaïm, qui n'avait pas réussi à retenir un sifflement, tant il était en colère.

— Je sens un changement en toi, dit Neferet en le dévisageant.

Rephaïm soutint son regard.

— Récemment, j'ai frôlé la mort et l'Obscurité. Peut-être ce changement vient de là.

— Peut-être... dit-elle lentement. Mais pourquoi ai-je l'impression que tu n'es pas content que ton père et moi soyons de retour à Tulsa ?

Rephaïm s'efforça de dissimuler la haine qui affluait dans son corps.

— Je suis le fils favori de mon père. Comme toujours, je me tiens à ses côtés. Les jours où il a été absent ont été les plus sombres de ma vie.

— Vraiment ? C'est terrible, railla-t-elle avant de se détourner avec dédain, et de s'adresser à Kalona : Les paroles de ton fils favori me rappellent quelque chose : où sont les autres créatures que tu appelles tes enfants ?

Quelques novices et des nonnes n'ont sûrement pas réussi à tous les tuer !

Kalona serra les dents et ses yeux ambrés flamboyèrent. Voyant que son père peinait à contrôler sa rage, Rephaïm s'empressa d'intervenir :

— Certains de mes frères ont survécu. Je les ai vus s'enfuir quand vous et mon père avez été bannis.

Neferet plissa les yeux.

— Je ne suis plus bannie.

« Plus maintenant, songea Rephaïm, mais des novices et des nonnes ont réussi à vous chasser une fois. »

— Les autres ne sont pas comme Rephaïm, dit Kalona. Ils ont besoin d'aide pour se cacher en ville. Ils ont dû trouver un endroit plus sûr, loin de la civilisation.

Sa colère frémissait à la surface de ses mots, mais ne débordait pas. Néanmoins, Rephaïm se demandait comment Neferet avait pu ne pas s'en apercevoir. Croyait-elle qu'elle était assez forte pour pouvoir tourmenter un immortel sans finir par en payer le prix ?

— Eh bien, nous sommes rentrés ! déclara-t-elle. Ils devraient être là. Ce sont des aberrations de la nature, mais ils pourraient se montrer utiles. Pendant la journée, ils resteraient ici, à l'écart de ma chambre, et la nuit, ils rôderaient dehors en attendant mes ordres.

— Tu veux dire *mes* ordres, dit Kalona sans hausser la voix, mais avec une véhémence qui donna la chair de poule à Rephaïm. Mes fils n'obéissent qu'à moi. Ils sont liés à moi par le sang, la magie et le temps. Moi seul les contrôle.

— J'en déduis que tu es capable de les faire venir ?

— Oui.

— Dans ce cas, appelle-les, ou envoie Rephaïm les chercher. Je ne peux pas m'occuper de tout !

— Comme tu voudras.

— Maintenant, je vais aller m'humilier devant un troupeau d'êtres inférieurs, puisque tu n'as pas réussi à empêcher Zoey de revenir dans ce royaume. Sois là à mon retour !

Sur ce, Neferet quitta le balcon. Sa grande cape faillit se prendre dans la porte qu'elle claqua derrière elle, mais, au dernier moment, elle ondula et se rapprocha du corps de la Tsi Sgili, s'enroulant autour de ses chevilles comme une flaque collante de goudron.

Rephaïm se tourna vers son père, l'immortel qu'il avait loyalement servi pendant des siècles.

— Pourquoi la laissez-vous vous parler ainsi ? s'insurgea-t-il. Elle a traité mes frères d'aberrations de la nature, alors que c'est elle, le vrai monstre !

Kalona fit un pas vers lui, et Rephaïm, qui avait déjà vu se déchaîner la fureur de son père, se prépara au pire. Kalona déplia ses ailes immenses et se pencha vers lui, mais le coup ne vint pas. Quand Rephaïm croisa son regard, il y vit non de la colère, mais du désespoir.

— Pas toi ! lâcha Kalona. Je m'attendais à l'irrespect et à la déloyauté de Neferet ; elle a trahi une déesse pour me libérer. Mais je n'aurais jamais cru que toi aussi te retournerais contre moi.

— Non, père ! s'écria Rephaïm en chassant Lucie de son esprit. Je ne supporte pas la façon dont elle vous traite, c'est tout.

— C'est pour ça que je dois trouver un moyen de rompre ce maudit serment, grogna Kalona.

Il s'approcha de la balustrade pour contempler la nuit.

— Si Nyx ne s'était pas mêlée de mon combat contre Stark, il serait mort, et je suis persuadé que Zoey n'aurait jamais trouvé la force de revenir dans ce royaume. Pas après la mort de ses deux amants.

— Mort ? demanda son fils, qui l'avait rejoint. Vous avez tué Stark dans l'Au-delà ?

— Bien sûr que j'ai tué ce gamin ! Il n'aurait pas pu me vaincre, même s'il a réussi à devenir un gardien et à manier la grande claymore.

— Nyx a ramené Stark à la vie ? s'étonna Rephaïm. Pourtant la déesse ne se mêle pas des choix des humains. Or Stark avait choisi de défendre Zoey contre vous.

— Ce n'est pas Nyx qui l'a ramené à la vie. C'est moi.

— Vous ?

Rephaïm n'y comprenait plus rien.

Kalona hocha la tête sans cesser de contempler la nuit.

— J'ai tué Stark. Je croyais que Zoey se retirerait et resterait dans l'Au-delà avec les âmes de son combattant et de son compagnon, ou que son esprit se briserait pour toujours et qu'elle deviendrait une Caoinic Shi' errante. Même si je ne le lui souhaitais pas. Je ne la déteste pas comme la déteste Neferet.

Rephaïm l'écoutait en silence.

— Zoey est plus forte que je ne le pensais. Au lieu de se retirer ou de se briser, elle m'a attaqué, ricana Kalona. Elle m'a embroché avec ma propre lance et m'a ordonné de rendre la vie à Stark afin de payer pour le meurtre de son compagnon. J'ai refusé, bien sûr.

— Mais ces dettes sont terribles, père ! lâcha Rephaïm, incapable de se taire plus longtemps.

— En effet, mais je suis un immortel. Les conséquences qui s'appliquent aux mortels ne s'appliquent pas à moi.

Des pensées s'engouffrèrent en Rephaïm comme un vent glacé : « Peut-être qu'il se trompe. Peut-être que ce qui lui arrive est l'une des conséquences qu'il s'estimait trop puissant pour subir. » Mais il savait qu'il valait mieux ne pas le reprendre.

— Vous avez refusé d'obéir à Zoey, et ensuite ? Que s'est-il passé ?

— Nyx, dit Kalona, amer. Je pouvais refuser d'obéir à une gamine devenue grande prêtresse, pas à la déesse. J'ai soufflé une partie de mon immortalité en Stark, et il est revenu à la vie. Zoey est retournée dans son corps et a réussi à ramener son combattant sur terre. Et maintenant, je suis sous le contrôle de la Tsi Sgili, que je crois complètement folle. Si je ne brise pas ce lien, elle m'entraînera dans sa folie. Elle a une connexion avec l'Obscurité extrêmement dangereuse.

— Vous devriez tuer Zoey, dit Rephaïm, avec hésitation, se détestant à chaque syllabe, car il savait quelle douleur sa mort causerait à Lucie.

— J'ai déjà envisagé cette possibilité. Seulement, ce serait un affront direct à Nyx. Je ne sers plus la déesse depuis bien longtemps ; j'ai fait des choses qui, à ses yeux, seraient impardonnables, mais je n'ai jamais pris la vie d'une prêtresse à son service.

— Craignez-vous Nyx ?

— Seul un imbécile ne craint pas sa déesse. Même Neferet évite sa colère en épargnant Zoey, bien qu'elle refuse de l'admettre.

— Neferet est tellement plongée dans l'Obscurité qu'elle ne pense plus rationnellement.

— C'est vrai, mais tout irrationnelle qu'elle soit, elle reste intelligente. Par exemple, je pense qu'elle n'a pas tort au sujet de la Rouge : on pourrait la détourner du chemin qu'elle a choisi et se servir d'elle. Si elle reste du côté de Zoey, Neferet la détruira.

— Père, je ne crois pas que Lucie soit simplement du côté de Zoey : elle est du côté de Nyx. Il serait logique de supposer que la première grande prêtresse rouge de Nyx est spéciale à ses yeux et que, comme Zoey, elle doit rester indemne.

— Il y a du vrai dans tes propos, fils, dit Kalona en hochant la tête d'un air solennel. Je ne ferai pas de mal à la Rouge ; ainsi, ce sera Neferet, et pas moi, qui subira la colère de Nyx.

— C'est une sage décision, père, commenta Rephaïm d'une voix neutre.

— Évidemment, il y a d'autres façons d'entraver une prêtresse.

— Que comptez-vous faire ?

— Rien, tant que Neferet n'aura pas essayé de la détourner de son chemin. Ensuite, soit je redirigerai ses pouvoirs, soit je laisserai Neferet la détruire. Mais parlons de Zoey ! Si on parvient à la persuader d'affronter Neferet publiquement, la Tsi Sgili sera distraite. Toi et moi pourrons en profiter pour couper le lien qui m'attache à elle.

— Si Zoey s'en prend à elle ce soir, elle sera réprimandée et discréditée. Elle est assez sage pour le savoir. Il n'y aura pas de clash.

Kalona sourit.

— Ah, mais si son combattant, son gardien, la personne sur la terre en qui elle a le plus confiance, lui chuchote qu'elle ne doit pas laisser Neferet s'en tirer à si bon compte ? S'il la pousse à remplir son rôle de grande prêtresse, quelles qu'en soient les conséquences, et affronter Neferet ?

— Stark ne ferait pas une chose pareille.

Le sourire de Kalona s'élargit.

— Mon esprit peut pénétrer dans le corps de Stark.

— Comment ça ? souffla Rephaïm, stupéfait.

Kalona haussa ses larges épaules.

— Je ne sais pas. Je n'avais jamais vécu une chose pareille.

— Alors, il ne s'agit plus seulement de s'immiscer dans un esprit endormi ?

— Non. J'ai suivi un lien qui, je le pensais, me mènerait à Zoey dans le royaume des rêves. Or il m'a mené à Stark, qui ne dormait pas. Je pense qu'il a senti quelque chose, mais il ne savait pas que c'était moi. Peut-être est-ce le résultat de la part d'immortalité que j'ai soufflée en lui.

« L'immortalité que j'ai soufflée en lui. » Les mots de son père tourbillonnaient dans l'esprit de Rephaïm.

Il y avait quelque chose – quelque chose qui leur échappait à tous les deux.

— Vous n'aviez jamais partagé votre immortalité avec un autre être ?

— Bien sûr que non. Ce n'est pas un pouvoir que je partagerais de mon plein gré.

Rephaïm se figea. Soudain, ce qui rôdait à la lisière de sa conscience lui apparut clairement. Pas étonnant que Kalona lui ait semblé si différent depuis qu'il était rentré de l'Au-delà ! Il comprenait tout désormais.

— Père ! Quelle était la formulation exacte de votre serment à Neferet ?

Kalona fronça les sourcils.

— « Si j'échoue dans ma quête pour détruire Zoey Redbord, novice et grande prêtresse de Nyx, Neferet aura le contrôle de mon esprit aussi longtemps que je serai immortel. »

— Et comment savez-vous qu'elle a réellement ce contrôle ?

— J'ai failli à ma mission ; c'en est la conséquence.

— Non, père ! s'écria Rephaïm. Si vous avez partagé votre immortalité avec Stark, vous n'êtes plus entièrement immortel, tout comme Stark n'est plus entièrement mortel. Les conditions du serment n'existent plus ! Vous n'êtes pas attaché à Neferet.

— Je ne suis pas attaché à Neferet ?

L'expression de Kalona passa de l'incrédulité à la stupéfaction, puis à la joie.

— Je ne le pense pas, dit Rephaïm.

— Il n'y a qu'un moyen de le savoir.

— Vous devez ouvertement lui désobéir.

— Ce sera un plaisir, mon fils !

Alors que Kalona jetait les bras en l'air et poussait un cri de triomphe, Rephaïm sut que cette soirée changerait tout et que, quoi qu'il arrive, il devrait trouver un moyen de protéger Lucie.

CHAPITRE DIX-NEUF

Zoey

— Tu as l'air fatigué, dis-je en touchant le visage de Stark, comme pour effacer les cernes noirs sous ses yeux. Pourtant, tu as dormi pendant presque tout le vol.

Il embrassa ma paume et tenta d'esquisser un sourire malicieux, en vain.

— Je vais bien. C'est juste le décalage horaire.

Je l'attrapai par le poignet, le forçant à rester assis, alors que les portes de l'avion s'ouvraient.

— Quelque chose ne va pas, j'en suis sûre !

Il soupira.

— En fait, j'ai recommencé à faire des cauchemars. Et quand je me réveille, je n'arrive pas à m'en souvenir. C'est sans doute l'un des effets secondaires de mon expérience dans l'Au-delà.

— Super ! Tu souffres de SPT. Écoute, Dragon est l'un des conseillers psychologiques de l'école. Tu pourrais peut-être aller le voir et...

— Non ! m'interrompit-il avant de m'embrasser sur

le nez. Ne t'inquiète pas, ça va ! Je n'ai pas besoin de parler de mes mauvais rêves à Dragon. Et puis, je ne sais pas c'que c'est qu'ce SPT, mais ça ressemble trop à MST pour être honnête !

Je ne pus m'empêcher de glousser.

— Tu parles comme Seoras !

— Oui, femme, alors tu ferais bien d'faire attention ! Maintenant, bouge tes fesses de c'fauteuil.

Je lui fis les gros yeux et secouai la tête.

— Tu l'imites trop bien, c'est flippant !

Je me levai et attendis qu'il prenne mon bagage à main.

— Et SPT, ça veut dire Syndrome Post-Traumatique, ajoutai-je alors que nous remontions l'allée.

— Comment tu sais ça ?

— J'ai cherché tes symptômes sur Internet et j'ai obtenu ce résultat.

— Tu as fait *quoi* ? demanda-t-il si fort qu'une femme nous lança un regard mauvais.

— Chut ! dis-je en le prenant par le bras. Écoute, tu te comportes bizarrement : tu es fatigué, distrait, grognon, tu oublies des choses... Tu as besoin d'une thérapie.

Il me regarda comme si j'étais folle à lier.

— Zoey, je t'aime. Je te protégerai et resterai toute ma vie auprès de toi. Mais tu dois arrêter de te faire peur en cherchant des renseignements médicaux à mon sujet.

Je ne pus lui répondre, car soudain je me retrouvai prise dans une mini-tornade.

— Zoey ! Oh, déesse, c'est tellement bon de te voir !

Tu m'as trop manqué ! Tu vas bien ? C'est horrible, ce qui est arrivé à Jack…

Lucie me serrait dans ses bras en pleurant et en parlant en même temps.

— Oh, Lucie, toi aussi, tu m'as manqué !

Je me mis à pleurer à mon tour et nous restâmes plantées là, collées l'une à l'autre, comme si cette étreinte pourrait réparer tout ce qui n'allait pas dans nos vies.

Par-dessus l'épaule de Lucie, je vis que Stark nous regardait en souriant. Il avait sorti le paquet de mouchoirs en papier qu'il gardait toujours dans la poche de son jean depuis qu'il était revenu de l'Au-delà, et je me dis que, peut-être, l'amour pourrait rendre le monde meilleur.

— Allez, rentrons à la maison, dis-je à Lucie alors que nous passions bras dessus bras dessous la porte à tambour et débouchions dans la nuit froide de Tulsa. Tu me parleras en chemin du tas du fumier fumant qui m'attend là-bas.

— Surveille ton langage, *u-we-tsi-a-ge-ya*, entendis-je.

— Grand-mère ! m'écriai-je. Oh, je suis si contente que tu sois là !

Je la serrai contre moi, me laissant envelopper par son amour et son odeur apaisante de lavande.

— *U-we-tsi-a-ge-ya,* ma fille, laisse-moi regarder ton visage, dit-elle en me tenant à bout de bras. C'est vrai ; tu es à nouveau entière !

— Comment savais-tu que j'allais rentrer ? demandai-je quand j'arrivai enfin à me détacher d'elle. C'est ton sixième sens qui t'a prévenue ?

La Maison de la Nuit

— Non, répondit Grand-mère en se tournant vers Stark. C'est bien plus banal que ça. Quoique « banal » ne soit peut-être pas le mot le plus juste pour désigner ce vaillant combattant.

— Stark ? Tu as appelé Grand-mère ?

— Oui, j'avais une excuse toute trouvée pour parler à une autre belle Redbird.

— Viens ici, charmeur.

Je secouai la tête alors que Stark prenait Grand-mère dans ses bras avec précaution, comme s'il craignait de la casser. Il me regarda dans les yeux. « Merci », articulai-je en silence, et son sourire s'agrandit.

— Hé, et si Lucie et moi allions chercher la voiture pendant que tu discutes avec ta grand-mère ? proposa Stark.

J'eus à peine le temps d'acquiescer qu'ils s'éloignaient déjà. Grand-mère et moi nous assîmes sur un banc. Nous restâmes un moment sans rien dire, nous contentant de nous tenir la main et de nous regarder. Je ne me rendis compte que je pleurais que lorsqu'elle essuya délicatement mes larmes.

— Je savais que tu nous reviendrais, dit-elle.

— Je suis désolée de t'avoir causé du souci. Pardon de ne pas t'avoir...

— Chut ! Tu n'as pas à t'excuser. Tu as fait de ton mieux, et cela m'a toujours suffi.

— J'étais faible, Grand-mère. Je le suis toujours.

— Non, *u-we-tsi-a-ge-ya,* tu es jeune, c'est tout.

Elle toucha doucement mon visage.

— Je suis désolée pour ton Heath. Ce jeune homme me manquera.

— À moi aussi, Grand-mère...

— Je sens que vous vous retrouverez un jour, dans cette vie, ou dans la suivante.

— C'est ce qu'il a dit avant de passer dans un autre royaume de l'Au-delà.

Elle eut un sourire serein.

— C'est un grand cadeau que d'avoir pu y aller, et revenir, même si les circonstances ont été déchirantes.

Ces mots me firent réfléchir. Depuis mon retour dans le monde réel, j'avais été trop fatiguée, trop triste et trop perdue pour cela, et ensuite, trop heureuse avec Stark.

— Pourtant je ne me suis pas sentie reconnaissante. Je n'avais pas pris conscience du cadeau qui m'a été fait. Je suis trop nulle comme grande prêtresse ! Je me mettrais des baffes !

Grand-mère éclata de rire.

— Oh, Zoey, Petit Oiseau, si c'était vrai, tu ne te remettrais pas en question, et tu ne te reprocherais pas tes erreurs.

— Je ne pense pas que les grandes prêtresses sont censées commettre des erreurs.

— Bien sûr que si. Sinon, comment apprendraient-elles ? Comment grandiraient-elles ?

Je faillis répondre qu'avec toutes les erreurs que j'avais faites j'aurais dû avoir la taille d'une géante, mais je savais qu'elle ne parlait pas de ça. Je poussai un soupir.

— J'ai beaucoup de défauts !

— Le reconnaître c'est faire preuve de sagesse, dit-elle d'un air triste. C'est l'une des grandes différences entre ta mère et toi.

— Ma mère… J'ai pensé à elle récemment.

— Moi aussi. Linda n'a pas quitté mes pensées ces derniers jours.

Je haussai les sourcils. En général, quand Grand-mère pensait ainsi à quelqu'un, c'était qu'il se passait quelque chose.

— Tu as eu de ses nouvelles ?

— Non, mais je crois que j'en aurai bientôt. Aie de bonnes pensées pour elle toi aussi, *u-we-tsi-a-ge-ya*.

— D'accord.

Ma Coccinelle pointa son nez, toute mignonne, avec sa peinture bleu marine brillante et ses chromes étincelants.

— Tu ferais mieux de rentrer à l'école, Petit Oiseau. Ils ont besoin de toi, là-bas.

Nous nous levâmes. Je dus me faire violence pour relâcher sa main.

— Tu vas passer la nuit à Tulsa, Grand-mère ?

— Oh non, chérie. J'ai trop à faire. Il y a une grande fête demain à Tahlequah et j'ai fait de jolis sachets de lavande. J'ai cousu des petits oiseaux dessus.

Je souris et la serrai une dernière fois contre moi.

— Tu m'en garderas un ?

— Bien sûr. Je t'aime, *u-we-tsi-a-ge-ya*.

— Moi aussi, je t'aime.

Stark sortit de la voiture et prit le bras de Grand-mère, l'aidant à traverser la rue bondée qui séparait les terminaux des parkings. Puis il revint au pas de course, esquivant les voitures. Lorsqu'il ouvrit ma portière, je tirai sur sa chemise pour qu'il se baisse et que je puisse l'embrasser.

— Tu es le meilleur combattant au monde, murmurai-je tout contre ses lèvres.

— Ça oui ! dit-il, les yeux pétillants.

Je m'assis sur le siège arrière de ma Coccinelle et croisai le regard de Lucie dans le rétroviseur.

— Merci de m'avoir laissée seule avec ma grand-mère.

— Pas de problème, Zoey. Je l'adore.

— Oui, moi aussi, dis-je doucement avant de redresser les épaules, me sentant plus forte. OK. Bon. Dis-moi ce qui m'attend à l'école.

— Accroche-toi au guidon, parce que c'est un sacré bazar, dit-elle en démarrant.

— Il n'y a pas de guidon.

— Exactement, répliqua-t-elle, ce qui ne voulait rien dire, mais qui me fit rire quand même.

Oui, bazar ou pas, j'étais vraiment contente d'être rentrée.

— Je n'arrive toujours pas à croire que le Conseil Supérieur soit aussi naïf, dis-je pour la centième fois alors que Lucie m'aidait à choisir la tenue que j'allais porter pour enflammer le bûcher funéraire de Jack.

Aphrodite entra sans frapper. Elle jeta un coup d'œil sur le pull à manches longues et col haut et le jean noir que je tenais à la main.

— Oh, bordel ! Tu ne peux pas mettre ça. Tu imagines comme Jack serait mortifié s'il te voyait dans cette tenue, sans parler de Damien ? On dirait des fringues ayant appartenu à Anita Blake au début des années 90.

— C'est qui, Anita Blake ? demanda Lucie.

— Une nana vampire créée par une femme écrivain dotée d'un sens de la mode détestable.

Aphrodite portait une robe moulante couleur saphir, légèrement brillante, mais pas au point de passer pour un modèle de bal de promo. À vrai dire, elle était superbe et très classe, comme toujours.

Elle ouvrit mon armoire et, après avoir jeté un regard dédaigneux sur mes vêtements, elle sortit la robe qu'elle m'avait donnée pour mon premier rituel des Fils et Filles de la Nuit. Elle était noire à manches longues, et – contrairement au pull et au jean – très flatteuse. De petites perles rouges brodées autour du décolleté rond, au bout des manches bouffantes et sur l'ourlet scintillaient au moindre de mes mouvements et s'accordaient parfaitement à mon pendentif de la dirigeante des Fils et Filles de la Nuit, représentant une triple lune. Je regardai Aphrodite droit dans les yeux.

— Cette robe ne me rappelle pas de très bons souvenirs.

— Peut-être, mais elle te va bien. Elle est adaptée à l'occasion. Et surtout, Jack l'aurait adorée. Allez, enfile ça et dépêche-toi. Les Jumelles et Darius vont emmener Damien ici pour qu'on aille tous ensemble au bûcher – une démonstration de solidarité du troupeau de ringards, vous voyez le genre. Et d'ailleurs, ajouta-t-elle en voyant l'expression outrée de Lucie, c'est une bonne idée. Oh, au fait, salut ! Ça fait plaisir de vous revoir dans le monde réel, toi et ton petit copain hypocondriaque.

— D'accord, je vais la mettre, dis-je en fonçant dans la salle de bains, avant de me retourner vers Aphrodite. Oh, et Stark est d'abord mon gardien et combattant, et ensuite seulement mon petit copain. Et il n'est sûrement pas hypocondriaque.

— Hum, fit-elle, sans paraître convaincue.

Je laissai la porte ouverte pour pouvoir leur parler tout en m'habillant. Je touchai la pierre de prophète et décidai de la cacher sous ma robe : je n'avais pas envie de répondre à des questions sur Skye et Sgiach ce soir.

— Hé, vous pensez que Neferet me laisse allumer le bûcher parce qu'elle imagine que je vais tout rater ? lançai-je en me brossant les cheveux.

Après tout, j'étais la première à penser que j'allais me planter, alors pourquoi pas elle ?

— Je crois qu'elle a des espoirs beaucoup plus machiavéliques que de te voir bégayer et pleurer, répondit Lucie.

— Machia quoi ? demanda Shaunee en entrant dans ma chambre sans s'annoncer.

— Vélique quoi ? ajouta Érin. Qu'est-ce qu'elle fait, Jumelle ? Elle essaie d'imiter Damien et sa folie du vocabulaire ?

— J'aime les mots, et vous pouvez aller vous faire cuire un œuf, répliqua Lucie.

Aphrodite commença à rire, mais se reprit quand je sortis de la salle de bains et la foudroyai du regard.

— Nous nous préparons à assister à des funérailles ;

nous devrions faire preuve d'un peu plus de respect pour Jack. C'était notre ami.

Les Jumelles prirent aussitôt un air contrit. Elles s'approchèrent et me serrèrent dans leurs bras.

— Zoey a raison, intervint Lucie. Nous devons être plus sérieuses, et pas seulement parce qu'il s'agit des funérailles de Jack. Neferet n'a pas soudain décidé de bien se conduire et de respecter Zoey et ses pouvoirs.

— Restez sur vos gardes, enchaînai-je, et ne vous éloignez pas de moi. Tenez-vous prêtes. Si je dois former un cercle protecteur, je n'aurai sûrement pas beaucoup de temps.

— Pourquoi ne pas en former un dès maintenant ? proposa Aphrodite.

— Je voulais le faire, mais je me suis renseignée sur les funérailles des vampires, et ça ne se fait pas. Mon boulot de grande prêtresse, c'est d'aider Jack à envoyer son esprit dans l'Au-delà de Nyx.

— Ça ne devrait pas te poser de problème, Zoey, vu que tu en reviens, fit remarquer Lucie.

— J'espère juste que je ferai honneur à Jack, répondis-je.

Les yeux se mirent à me piquer et je clignai des paupières pour chasser les larmes. La dernière chose dont mes amies avaient besoin, c'était de me voir m'écrouler.

— Alors, aucune de vous n'a une idée de ce que Neferet mijote ? demandai-je.

Elles secouèrent la tête.

— Tout ce que je peux imaginer, dit Aphrodite, c'est qu'elle va essayer de t'humilier. Seulement, elle n'y arrivera pas, si tu restes calme, forte et concentrée sur la raison de notre présence à ces funérailles.

— Jack, fit Shaunee.

— Nous allons lui dire au revoir, ajouta Érin d'une voix tremblante.

— Oui, c'est bien beau, tout ça, intervint de nouveau Lucie, mais je crois que les funérailles, quelles qu'elles soient, sont surtout destinées à ceux qui restent, comme Damien.

— Tu as tout à fait raison, Lucie, dis-je en lui souriant avec gratitude. Je ne l'oublierai pas.

Elle se racla la gorge.

— Je le sais parce que j'ai vu ma mère aujourd'hui. Elle avait organisé une petite cérémonie pour moi. C'était sa façon de tourner la page.

— Oh, ma déesse ! C'est affreux ! s'exclamèrent les Jumelles alors que je me taisais, sous le choc.

— Elle est venue ici ? se renseigna Aphrodite avec une douceur qui m'étonna.

Lucie hocha la tête.

— Je l'ai trouvée, en pleurs, près du portail principal. Elle était venue me dire adieu.

— Tu lui as parlé, n'est-ce pas ? dis-je. Elle sait que tu n'es plus morte ?

Lucie sourit, le regard triste.

— Oui, mais je me suis sentie très mal de ne pas l'avoir prévenue. C'était terrible, de la voir pleurer comme ça.

Je serrai ma meilleure amie contre moi.

— Au moins, tu as une maman qui t'aime assez pour te pleurer, commenta Aphrodite.

Je croisai son regard, la comprenant parfaitement.

— Arrêtez, s'il vous plaît ! dit Lucie. Vos mères pleureraient aussi s'il vous arrivait quelque chose.

— La mienne se lamenterait en public, parce que c'est ce qu'on attendrait d'elle. Elle est capable de verser une larme sur n'importe quel sujet, répliqua froidement Aphrodite.

— Quant à la mienne, enchaînai-je, ce serait genre : « Comment a-t-elle pu me faire ça ? Maintenant elle ira droit en enfer, et c'est sa faute. » Comme dirait Grand-mère, c'est dommage que ma mère ne comprenne pas qu'il n'y a pas qu'une seule option après la mort, ajoutai-je en souriant à mes amis. Je le sais, parce que j'y suis allée, et c'est merveilleux. Vraiment, vraiment merveilleux.

— Jack est là-bas, n'est-ce pas ? En sécurité, dans l'Au-delà, avec la déesse ?

Je me retournai : Damien se tenait dans l'embrasure de la porte, encadré par Stark et Darius. Il avait une mine affreuse, même s'il était impeccablement habillé. Il était si pâle que sa peau paraissait transparente, et les ombres sous ses yeux ressemblaient à des bleus. Je m'approchai de lui et l'enlaçai avec tendresse. Il était mince et frêle. Je ne le reconnaissais pas.

— Oui, il est avec Nyx. En tant que grande prêtresse, je t'en donne ma parole. Je suis désolée, Damien.

Il me rendit mon étreinte puis, avec un effort, s'écarta. Il ne pleurait pas. Il avait l'air vidé, désespéré.

— Je suis content que tu sois là, lâcha-t-il.

— Moi aussi. Je m'en veux d'avoir tardé. J'aurais peut-être pu...

— Non, tu n'aurais rien pu faire, dit d'une voix douce Aphrodite, à qui, à ce moment-là, on aurait donné beaucoup plus que dix-neuf ans. Tu n'as pas pu empêcher la mort de Heath ; tu n'aurais pas pu empêcher celle de Jack.

Je croisai brièvement le regard de Stark et je sus qu'il pensait la même chose que moi : j'avais réussi à empêcher sa mort à lui. Même s'il avait des cauchemars et n'était toujours pas au top de sa forme, au moins, il était vivant.

— Alors, arrête, continua Aphrodite. Vous autres aussi – ne commencez pas à vous culpabiliser. La seule responsable de la mort de Jack est Neferet. Nous le savons, même si nous sommes les seuls.

— Je ne peux pas penser à ça pour l'instant, dit Damien, et l'espace d'un instant je crus qu'il allait s'évanouir. Allons-nous défier Neferet ce soir ?

— Non, répondis-je rapidement. Je n'ai rien prévu de tel.

— Mais on ne sait pas ce qu'elle a l'intention de faire, remarqua Aphrodite.

— Stark et moi serons là, dit Darius. Ne vous éloignez pas de Zoey et de Damien. On ne tentera rien, mais si Neferet essaie de blesser l'un de nous, nous serons prêts.

— Je l'ai vue devant le Conseil, intervint Lucie. Je ne pense pas qu'elle attaquera ouvertement Zoey.

— Quoi qu'elle manigance, on ne la laissera pas faire ! déclara Stark.

— Pas moi, dit Damien. Je pense que je ne serai plus jamais capable de combattre qui que ce soit.

Je lui pris la main.

— Ce soir, tu n'auras pas à le faire. S'il y a un combat à mener, tes amis s'en chargeront. Maintenant, allons voir Jack.

Damien poussa un long soupir tremblant, hocha la tête, et nous sortîmes de ma chambre. Sans lâcher sa main, j'ouvris la marche, descendant l'escalier et débouchant dans la salle commune, complètement vide. J'adressai une prière silencieuse à la déesse : « S'il vous plaît, faites que tout le monde soit déjà là-bas – faites que Damien sache à quel point Jack était aimé. »

Nous suivîmes l'allée menant à la cour principale de l'école. Je savais où aller : je ne me rappelais que trop bien l'endroit où avait été placé le bûcher funéraire d'Anastasia, juste en face du temple de Nyx.

Alors que nous marchions en silence, un petit bruit attira mon attention et je regardai en direction d'un banc installé sous un prunus, non loin de là. Érik y était assis, seul. Il se tenait le visage entre les mains, et il pleurait.

CHAPITRE VINGT

Zoey

Je me souvins qu'avant sa Transformation Érik avait été le camarade de chambre de Jack. Et je compris que ce qui s'était passé entre lui et moi n'avait pas d'importance. J'étais la grande prêtresse de Jack, et je savais sans le moindre doute qu'il n'aurait pas voulu que je laisse Érik pleurer là, tout seul.

Je me rappelai aussi le soir où Érik m'avait trouvée en larmes après mon premier rituel désastreux des Filles de la Nuit. Il avait été adorable, attentionné, et m'avait convaincue que j'arriverais à m'en sortir.

Je devais lui rendre la pareille. Je pressai la main de Damien et m'arrêtai.

— Chéri, je veux que tu ailles au bûcher avec Stark et les autres. Je dois m'occuper de quelque chose. Ce ne sera pas long. Et puis, d'après ce que j'ai lu sur les funérailles de vampires, tu es censé méditer un peu avant que le bûcher ne soit enflammé, car Jack était ton consort.

Comme en réponse à mes paroles, une femme vampire sortit de l'ombre.

— Tu as absolument raison, Zoey Redbird.

Mes amis et moi lui lançâmes un regard interrogateur.

— Oh, je dois me présenter, fit-elle en me tendant l'avant-bras à la manière traditionnelle des vampires. Je suis Beverly.

Elle s'interrompit, s'éclaircit la voix.

— Je suis le professeur Missal, la nouvelle enseignante des Charmes et Rituels.

— Oh ! Ravie de faire votre connaissance, dis-je en lui saisissant l'avant-bras.

Malgré son tatouage – un joli dessin évoquant des notes de musique – elle paraissait plus jeune que Lucie.

— Professeur Missal, continuai-je, pourriez-vous conduire Damien et les autres jusqu'au bûcher ? J'ai quelque chose à faire.

— Bien sûr, répondit-elle avant de se tourner vers Damien. Si tu veux bien me suivre...

Damien lui emboîta le pas, le regard vitreux. Stark n'avait pas bougé. Il regardait Érik.

— S'il te plaît, dis-je. Je dois lui parler. Fais-moi confiance, OK ?

Son visage se détendit.

— Pas de problème, *mo bann ri*.

Il sourit et partit rejoindre les autres, qui s'éloignaient, à part Aphrodite. Et Darius, qui la suivait comme son ombre.

— Quoi ? demandai-je.

— Sérieusement, tu le fais exprès ou quoi ? lança-t-elle en levant les yeux au ciel. Neferet a réussi à couper la tête à Jack sans même être sur place. Darius et moi n'allons pas te laisser seule pendant que tu consoles ce loser.

Je regardai Darius, qui secoua la tête.

— Désolé, Zoey, mais Aphrodite a raison.

— Pourriez-vous au moins rester à l'écart ? fis-je, exaspérée.

— Avec plaisir ! On n'a pas envie d'entendre les pleurnicheries d'Érik. Mais dépêche-toi.

Je me retins de soupirer et me dirigeai vers Érik. Il ne s'était pas aperçu de ma présence. Le visage entre les mains, il pleurait. Sachant qu'il était très bon acteur, je me raclai la gorge et m'apprêtai à lancer une remarque sarcastique.

Mais lorsqu'il me regarda, je compris que ce n'était pas du cinéma. Il avait les yeux rouges et gonflés, les joues baignées de larmes. Il cligna plusieurs fois des paupières, comme s'il avait du mal à faire le point sur moi.

— Oh, Zoey, dit-il en essayant de se reprendre.

Il se redressa et s'essuya le nez avec la manche.

— Alors, tu es rentrée...

— Oui, j'ai atterri tout à l'heure. Je vais allumer le bûcher de Jack. Tu veux venir avec moi ?

Un sanglot lui échappa, et il se remit à pleurer.

C'était horrible. Je ne savais pas quoi faire.

Il me sembla distinguer le petit rire méprisant d'Aphrodite au loin. Je m'assis à côté de lui et lui tapotai maladroitement l'épaule.

— Je sais, c'est affreux.

Il hocha la tête. Je voyais qu'il faisait un effort pour se contrôler, je me mis donc à bavarder pendant qu'il reniflait et s'essuyait le visage avec sa manche.

— Il va terriblement nous manquer.

— C'est Neferet qui a fait ça, déclara Érik, qui regardait autour de lui comme s'il craignait d'être entendu. Je ne sais pas comment, je ne sais pas pourquoi, mais elle l'a fait.

— Oui.

Il me fixa dans les yeux.

— Tu comptes faire quelque chose ?

Je soutins son regard.

— Tout ce qui sera en mon pouvoir.

Il réussit presque à sourire.

— Ça me suffit.

Il se passa la main dans les cheveux.

— Dire que j'allais partir…

— Hein ? fis-je brillamment.

— Oui, j'allais quitter la Maison de la Nuit de Tulsa pour celle de Los Angeles. Ils me veulent là-bas, à Hollywood. J'aurais été le prochain Brad Pitt.

— Qu'est-ce qui te retient ?

Il me montra sa paume droite. J'écarquillai les yeux.

— Le labyrinthe de Nyx ! soufflai-je.

J'avais reconnu le tatouage couleur saphir sur sa paume, mais mon esprit tournait à vide, et je n'avais toujours pas saisi quand la voix d'Aphrodite s'éleva derrière moi.

— Oh, bordel ! Érik est un Traqueur.

Il se tourna vers elle.

— Tu es contente ? Vas-y, rigole ! Tu sais ce que ça

veut dire. Je ne peux pas quitter la Maison de la Nuit de Tulsa avant quatre ans. C'est moi, le connard qui annoncera à chaque gamin marqué qu'il mourra peut-être, ou pas, mais qu'en tout cas sa vie sera changée à jamais.

Il y eut un moment de silence, puis Aphrodite reprit la parole.

— Qu'est-ce qui te préoccupe ? Le fait d'être le Traqueur, ou de devoir repousser de quatre ans ta carrière à Hollywood, et de te faire piquer la place du nouveau Brad Pitt ?

Je me levai et lançai :

— Érik était le camarade de chambre de Jack ! Tu te rappelles ce que ça fait de perdre son camarade de chambre ?

Je vis son expression s'adoucir, mais je poursuivis :

— Allez-vous-en, toi et Darius. Je vous rejoins.

La voyant hésiter, je m'adressai à son combattant :

— En tant que grande prêtresse, je t'ordonne de me laisser seule avec Érik. Emmène Aphrodite. On se retrouvera devant le bûcher.

Darius s'inclina solennellement, prit Aphrodite par le coude et l'entraîna. Je soupirai et me rassis à côté d'Érik.

— Désolée. Aphrodite a un bon fond, mais, comme dirait Lucie, elle n'est pas toujours très gentille.

— Inutile de me le dire. On est sortis ensemble, tu sais.

— C'est vrai. Nous aussi, on est sortis ensemble.

— Oui. Je pensais t'aimer.

— Moi aussi, je pensais t'aimer.

Il me regarda.

— On se trompait ?

Je lui rendis son regard. Déesse, il était vraiment beau, dans le genre Clark Kent / Superman : grand, musclé, avec des cheveux sombres et des yeux bleus. Cependant il y avait plus que ça. Oui, il était arrogant et possessif, mais je savais qu'au fond c'était un gentil garçon. Simplement, je n'étais pas la fille qu'il lui fallait.

— Oui, on se trompait, répondis-je, mais ce n'est pas grave. Récemment, j'ai compris que ce n'était pas grave de ne pas être parfait ; l'important, c'est d'apprendre de ses erreurs. Alors, si on tirait une leçon des nôtres ? Je pense qu'on serait mieux en tant qu'amis.

Il sourit.

— Tu as peut-être raison.

Je lui tendis la main.

— Alors, on fait la paix ?

— On fait la paix !

Avec un sourire canaille, il mit un genou à terre.

— Ma dame, soyons amis pour toujours.

— OK, dis-je, un peu troublée, car, même si j'aimais Stark, Érik était franchement canon, et très bon acteur.

Il s'inclina et me baisa la main. Comme un véritable gentleman, pas comme un pauvre type essayant de me séduire.

— Ce soir, tu dois dire quelque chose qui aidera Damien et lui donnera de l'espoir, poursuivit-il, toujours à genoux. Parce que nous sommes tous à la dérive – et Damien ne va vraiment pas bien.

— Je sais, répondis-je, le cœur serré.

— Bon. Quoi qu'il arrive, je crois en toi, Zoey.

Je soupirai. Il sourit et se releva, m'entraînant avec lui.

— Laisse-moi t'escorter à ces funérailles.

Je pris son bras et m'avançai vers un futur que je n'aurais jamais pu imaginer.

C'était un spectacle incroyable, d'une tristesse infinie. Contrairement à la dernière fois où un bûcher funéraire avait brûlé à la Maison de la Nuit, toute l'école était là. Novices et vampires formaient un cercle immense autour de la structure dressée au centre de la cour. L'herbe carbonisée témoignait du fait que, peu de temps auparavant, le corps d'Anastasia Lankford avait été consumé par le feu de la déesse à cet endroit même. Sauf que les élèves et les enseignants n'étaient pas venus lui rendre hommage. Un trop grand nombre d'entre eux avaient été sous l'emprise de Kalona – ou simplement effrayés. Ce soir, c'était différent. Kalona n'était plus là, et Jack allait recevoir des adieux dignes d'un combattant.

J'aperçus Dragon Lankford, qui se tenait à côté de Jack, dans l'ombre d'un chêne. Mais l'obscurité ne cachait pas sa douleur. Des larmes coulaient en silence sur son visage ciselé. « Déesse, aidez Dragon, priai-je. C'est un homme si bon ! Aidez-le à trouver la paix. »

Puis je regardai Jack, et ce que je vis me fit sourire à travers mes larmes. Selon la tradition, il avait été enroulé de la tête aux pieds dans un linceul ; seulement le sien était violet. Super brillant. Super scintillant. Super violet.

— Elle l'a fait ! lâcha Érik d'une voix étranglée. Je savais que c'était sa couleur préférée, alors je suis allé acheter des draps violets. Quand j'ai demandé à Saphir, à l'infirmerie, d'en envelopper Jack, je ne pensais pas qu'elle oserait.

Je me tournai vers lui, me hissai sur la pointe des pieds et l'embrassai sur la joue.

— Merci. Jack serait très content. Tu as été un bon ami pour lui, Érik.

Il hocha la tête et sourit sans rien dire : il s'était remis à pleurer. Pour ne pas fondre en larmes moi aussi, ce qui n'aurait pas été digne d'une grande prêtresse, je cherchai Damien. Il était agenouillé devant le bûcher. Duchesse était assise à côté de lui et son chat, Cammy, était blotti contre sa jambe. Stark était debout près de Duchesse, qu'il caressait en murmurant des paroles réconfortantes pour elle et Damien. Lucie était à côté de Stark. Elle pleurait, accablée de tristesse. Aphrodite se tenait à droite de Damien, Darius juste derrière elle. Les Jumelles se trouvaient à sa gauche. De nombreux novices et vampires, dont Lenobia et la plupart des professeurs, tenaient des bougies violettes. Personne ne parlait, à part Stark, mais j'entendais beaucoup de sanglots.

Neferet n'était nulle part en vue.

— Tu peux le faire, murmura Érik. Avec l'aide de la déesse.

— S'il vous plaît, Nyx, aidez-moi, chuchotai-je. Je n'y arriverai pas toute seule.

Alors, le professeur Missal me poussa en avant. Je me

dirigeai vers Damien d'une démarche que j'espérais assurée et adulte.

Quand mes yeux rencontrèrent ceux de Stark, je n'y décelai aucune trace de jalousie ni de colère, même si Érik était derrière moi. Mon combattant, mon gardien, mon amant, s'inclina formellement devant moi.

— Bienvenue, grande prêtresse.

Sa voix résonna dans la cour. Tout le monde se tourna vers moi et, comme un seul homme, s'inclina à son tour, me reconnaissant comme sa grande prêtresse.

Je ressentis quelque chose que je n'avais encore jamais éprouvé. Des professeurs, vampires âgés de plusieurs centaines d'années, tout comme de jeunes novices, me regardaient, croyaient en moi, me faisaient confiance. C'était aussi terrifiant que fantastique.

« Garde pour toujours le souvenir de cette sensation, chanta la voix de la déesse dans mon esprit. Une véritable grande prêtresse est humble, tout en étant fière, et n'oublie jamais les responsabilités qui vont de pair avec sa position. »

Je m'arrêtai devant Damien et le saluai, le poing sur le cœur. Puis, sans me soucier d'aller à l'encontre de la tradition, je lui pris les mains et le relevai, avant de le serrer dans mes bras.

Il sanglotait. Son corps était raide, et il bougeait lentement, comme s'il craignait de tomber en mille morceaux. Avant de m'écarter, je fermai les yeux et murmurai :

— Air, viens à ton Damien. Remplis-le de légèreté et d'espoir, et aide-le à supporter cette nuit.

L'air répondit aussitôt. Il me souleva les cheveux et

s'enroula autour de nous. Damien inspira et, quand il expira, il semblait un peu plus détendu. Je reculai d'un pas et le regardai dans les yeux.

— Je t'aime, Damien.

— Je t'aime aussi, Zoey. Vas-y, fais ce que tu as à faire. Je sais que Jack n'est pas vraiment là, de toute façon.

Il se tut et ravala un sanglot.

— Mais il serait content que ce soit toi.

Je retins mes larmes et pivotai vers le bûcher funéraire. J'inspirai profondément à deux reprises.

— Esprit, viens à moi, murmurai-je. Amplifie ma voix pour que tout le monde m'entende.

L'élément dont j'étais la plus proche s'engouffra en moi et me fortifia. Quand je pris la parole, ma voix résonna dans toute la cour.

— Jack n'est pas là, mais je veux que vous le sachiez tous.

Je parlais lentement et distinctement, les mots me venant comme s'ils m'étaient soufflés par la déesse.

— Je suis allée dans l'Au-delà, et je vous assure que cet endroit est aussi beau, étonnant et réel que nous voulons le croire. Jack est là-bas. Il ne souffre pas. Il n'est ni triste ni inquiet, et il n'a pas peur. Il est avec Nyx, dans ses prairies et ses bois. Il s'y balade sans doute gaiement en ce moment même.

J'entendis le rire surpris de Damien et de quelques novices.

— Il a retrouvé des amis, comme mon Heath, et il a sans doute entrepris de refaire la déco.

Aphrodite et Érik gloussèrent doucement.

— On ne peut pas être avec lui pour l'instant, ajoutai-je en regardant Damien. Je sais que c'est dur. Mais je suis sûre que nous le reverrons – dans cette vie ou dans la suivante. Et alors, qui que nous soyons, où que nous soyons, une chose n'aura pas changé : notre amour. Notre amour durera toujours. C'est une promesse qui nous vient directement de la déesse.

Stark me tendit une torche. Je la pris et regardai Shaunee.

— Tu veux bien m'aider ?

Elle essuya ses larmes, se tourna vers le sud, leva les bras en l'air, et d'une voix magnifiée par l'amour et la douleur, s'écria :

— Feu ! Viens à moi !

Ses mains se mirent à luire alors qu'elle s'approchait avec moi de l'énorme tas de bois sur lequel était posé le corps de Jack.

— Jack Swift, dis-je avec force, tu étais un garçon adorable, extraordinaire. Je t'aimerai toujours comme un frère et comme un ami. En attendant nos retrouvailles, je te dis au revoir, et à bientôt.

Lorsque je posai le bout de ma torche sur le bûcher, Shaunee y projeta son élément, l'enflammant dans une lueur surnaturelle, violet et jaune.

Je m'apprêtais à la remercier, ainsi que son élément, quand la voix de Neferet retentit dans la nuit.

— Zoey Redbird, grande prêtresse novice ! Je te demande de me servir de témoin !

CHAPITRE VINGT ET UN

Zoey

Je n'eus pas à la chercher longtemps. Neferet se tenait sur les marches du temple de Nyx, à ma gauche. Alors que tout le monde se tournait vers elle en chuchotant, je sentis que Stark se rapprochait de moi, de façon à pouvoir s'interposer en cas de besoin. J'avais aussi conscience de la présence de Lucie. Du coin de l'œil, je voyais les Jumelles et Damien. Sans un mot, mes amis me faisaient savoir qu'ils me protégeaient.

Quand Neferet se mit à marcher vers moi, je me recentrai automatiquement. « Elle doit avoir complètement perdu la tête pour me demander de diriger cette cérémonie, et ensuite m'attaquer devant toute l'école », pensai-je. Mais qu'elle soit folle ou non n'avait pas d'importance. Elle était malfaisante et dangereuse, elle s'en prenait à moi, et il n'était pas question que je m'enfuie.

Ce qu'elle dit ensuite me choqua presque autant que ce qu'elle avait commencé à faire.

— Écoute-moi, Zoey Redbird, grande prêtresse novice, et sois mon témoin. J'ai causé du tort à Nyx, à toi et à cette Maison de la Nuit.

Tout en parlant d'une voix puissante, claire et mélodieuse, elle se déshabillait.

Cela aurait pu être embarrassant ou érotique, mais c'était simplement beau.

— Je t'ai menti, à toi et à ma déesse, dit-elle en ôtant sa chemise, qui tomba à terre comme un pétale de rose. Je t'ai trompée, ainsi que ma déesse.

Elle détacha sa jupe en soie noire et en sortit comme d'une flaque d'eau sombre. Complètement nue, elle vint droit sur moi. Les flammes jaune et violet du bûcher dansaient sur sa peau, donnant l'impression qu'elle aussi brûlait, mais sans se consumer. Lorsqu'elle m'eut rejointe, elle tomba à genoux, rejeta la tête en arrière et ouvrit les bras.

— Pis encore, j'ai laissé un homme me séduire et me détourner de la déesse et de son chemin. Maintenant, nue devant toi, devant notre Maison de la Nuit, et devant Nyx, je demande que l'on me pardonne mes fautes, car je ne peux supporter ce mensonge un moment de plus.

Alors, elle baissa la tête et les bras et, formellement, respectueusement, elle s'agenouilla devant moi.

Dans le silence complet qui suivit sa déclaration, une foule de pensées contradictoires se bousculèrent dans mon esprit : « Elle joue la comédie – c'est à cause d'elle que Jack et Heath sont morts – c'est une manipulatrice de génie. » Désemparée, je balayai l'assistance du regard. Les Jumelles et Damien dévisageaient Neferet, bouche bée, sous le choc. Aphrodite la fixait avec une expression de profond dégoût. Lucie et Stark me regardaient tous les deux. Sans un mot, Stark secoua presque imperceptiblement la tête. Lucie articula en silence : *elle ment.*

Respirant difficilement, je passai le cercle d'élèves en revue. Certains me consultaient du regard, dans l'expectative, mais la plupart ne quittaient pas Neferet des yeux, hébétés, sanglotant avec un mélange de bonheur et de soulagement.

Une pensée se cristallisa alors dans mon esprit : « Si je n'accepte pas ses excuses, l'école se retournera contre moi. Je passerai pour une sale gosse vindicative, et c'est exactement ce que veut Neferet. »

Je n'avais pas le choix. Je ne pouvais qu'espérer que mes amis me feraient suffisamment confiance pour comprendre que je faisais la différence entre la vérité et le mensonge.

— Stark, donne-moi ta chemise, dis-je.

Il la déboutonna et me la tendit sans hésitation.

— Neferet, pour ma part, je vous pardonne. Je n'ai jamais voulu être votre ennemie.

Elle leva sur moi ses yeux verts, qui semblaient absolument innocents.

— Zoey, je…

— Mais je ne peux parler qu'en mon nom, la coupai-je. Vous devrez demander le pardon à la déesse. Nyx connaît votre cœur et votre âme : c'est là que vous trouverez sa réponse.

LIBÉRÉE

— Alors, je la connais déjà, et elle m'emplit de joie. Merci, Zoey Redbird, et merci, Maison de la Nuit !

Des murmures s'élevèrent dans le cercle ; on entendait des : « Soyez bénie ! » et des : « Merci, déesse. » Je me forçai à sourire et posai la chemise de Stark sur les épaules de Neferet.

— S'il vous plaît, relevez-vous. Vous ne devriez pas être à genoux devant moi.

Neferet se remit gracieusement debout, enfila la chemise de Stark et la boutonna avec soin. Puis elle se tourna vers Damien.

— Bonsoir, Damien. Me donneras-tu la permission de prier la déesse pour Jack ?

Damien se contenta de hocher la tête, et je n'aurais su dire s'il croyait à sa comédie.

— Merci, dit Neferet en s'approchant du bûcher.

Elle pencha la tête en arrière et leva les bras en l'air. Contrairement à moi, elle parla tout bas. Son expression était sereine et sincère, et je me demandai comment il était possible qu'un être aussi pourri à l'intérieur puisse être aussi beau.

C'est sans doute parce que je la regardais avec attention, cherchant la faille dans son armure, que je vis ce qui se produisit ensuite.

Son visage se crispa ; il était évident qu'elle avait vu quelque chose.

Puis je l'entendis. C'était un bruit familier, pourtant je ne le reconnus pas tout de suite, même s'il me donna la chair de poule. Néanmoins, je ne lâchai pas Neferet des yeux, sûre que ce qu'elle avait vu l'ennuyait et l'inquiétait. Sans changer de position ni cesser de

« prier », elle jeta un coup d'œil sur les côtés pour voir si quelqu'un avait remarqué la même chose qu'elle. Je me hâtai de fermer les paupières pour faire croire que je priais, méditais ou me concentrais — bref, que je faisais tout sauf l'épier. J'attendis deux secondes, puis je les rouvris lentement.

Neferet ne me regardait pas. Elle dévisageait Lucie ; mais ma meilleure amie n'en avait pas conscience, trop occupée à regarder en l'air. Seulement, son expression n'était ni agacée ni inquiète — elle était radieuse, comme si ce qu'elle voyait l'emplissait de joie.

Confuse, je me tournai de nouveau vers Neferet. Elle observait toujours Lucie, les yeux écarquillés, comme si elle venait de comprendre quelque chose ; puis son visage irradia de plaisir.

J'allais toucher la main de Stark, sentant que le monde allait exploser en mille morceaux, quand la voix de Dragon s'éleva comme un clairon.

— Corbeau Moqueur au-dessus de nous ! Professeurs, mettez les novices à l'abri ! Combattants, à moi !

On aurait dit que le temps s'était accéléré tout à coup. Stark me poussa derrière lui ; je l'entendis jurer, et je compris que c'était parce qu'il n'avait pas son arc avec lui.

— Dans le temple de Nyx ! cria-t-il par-dessus l'explosion de bruits autour de nous en m'entraînant dans cette direction.

Soudain, ce fut un désordre indescriptible. Des élèves hurlaient ; les professeurs essayaient de les rassurer ; les Fils d'Érebus avaient sorti leurs armes, prêts au combat.

Tout le monde était en mouvement, sauf Lucie et Neferet.

Neferet était toujours à côté du bûcher de Jack — et elle regardait toujours Lucie en souriant. Cette dernière, clouée sur place, pleurait doucement.

— Non, attends ! dis-je à Stark. Je ne peux pas y aller. Lucie est...

— Viens ici, bête répugnante ! hurla à cet instant Neferet.

Elle avait lancé les bras en l'air, les doigts tendus comme si elle voulait attraper quelque chose.

— Tu as vu ça ? me demanda Stark d'un ton alarmant.

— Quoi ? Vu quoi ?

— Les filaments noirs et poisseux d'Obscurité, dit-il avec une grimace horrifiée. Elle les dirige. Et ça veut dire qu'elle mentait quand elle nous a demandé pardon. Elle est toujours alliée avec l'Obscurité.

Nous n'eûmes pas le temps d'ajouter quoi que ce soit, car, avec un cri terrible, un énorme Corbeau Moqueur atterrit au milieu de la cour.

Je le reconnus immédiatement : c'était Rephaïm, le fils favori de Kalona.

— Tuez-le ! ordonna Neferet.

Dragon Lankford n'avait pas besoin de cet ordre. La lame de son épée luisant à la lueur du feu, il fonça sur le Corbeau Moqueur tel un dieu vengeur.

— Non ! Ne lui faites pas de mal ! hurla Lucie en se jetant entre Dragon et la créature.

Ses mains émettaient une lueur verte, comme si une sorte de mousse irisée avait poussé sur son corps. Dragon heurta cette barrière phosphorescente et rebondit comme s'il avait foncé dans une balle en caoutchouc géante.

— Ah, zut ! marmonnai-je en me précipitant vers Lucie, en proie à un mauvais pressentiment.

Stark n'essaya pas de me retenir.

— Reste hors de portée de ce maudit oiseau ! cria-t-il.

— Pourquoi protèges-tu ce monstre, Lucie ? Es-tu liguée avec lui ? siffla Neferet.

Dragon, qui s'était relevé, tremblait littéralement, tant il devait faire un effort pour ne pas se jeter sur Lucie à nouveau.

Neferet paraissait confuse, mais ses yeux lançaient des éclairs, comme si elle était un chat, et Lucie, une souris prise au piège.

— Il n'est pas là pour blesser qui que ce soit, assura Lucie à Dragon, ignorant Neferet.

— Libère-moi, la Rouge, demanda le Corbeau Moqueur alors que je rejoignais Neferet et Dragon.

Il s'était relevé lui aussi, ce qui me surprit, car sa chute aurait dû l'assommer. À vrai dire, sa seule blessure visible était une entaille dans son biceps étonnamment humain, qui commençait tout juste à saigner. Il fit mine de s'éloigner de Lucie, mais une étrange bulle verte s'était formée autour d'eux, et il ne pouvait pas aller bien loin.

— Ça ne sert à rien, Rephaïm. Je ne vais pas continuer à mentir et à faire semblant, déclara Lucie en regardant la foule de novices et de professeurs qui avaient cessé de s'enfuir et la fixaient, sous le choc, horrifiés.

Elle serra les dents et releva le menton avant de se tourner de nouveau vers le Corbeau Moqueur.

— Je ne suis pas assez bonne actrice. Et je ne veux pas le devenir.

— Ne fais pas ça, dit Rephaïm.

J'en restai stupéfaite. Ce n'était pas parce qu'il parlait comme un humain. Je l'avais déjà entendu et je savais que, quand il ne sifflait pas sous le coup de la colère, il parlait comme un homme. Ce qui me surprit était le ton de sa voix, qui trahissait la peur et la tristesse.

— C'est trop tard, répondit Lucie.

Alors, je retrouvai ma langue.

— Qu'est-ce qui se passe, bon sang, Lucie ?

— Je suis désolée, Zoey. Je voulais te le dire, vraiment, mais je ne savais pas comment.

Ses yeux me suppliaient de comprendre.

— Tu ne savais pas comment me dire quoi ?

Alors, une odeur me frappa – l'odeur du sang du Corbeau Moqueur. Horrifiée, je me souvins de l'avoir sentie sur Lucie, et je compris.

— Tu as imprimé avec cette créature ! s'écria Neferet, exprimant ce que je pensais.

— Oh, déesse, non, Lucie ! gémis-je.

Je secouai la tête, comme si cela pourrait faire disparaître ce cauchemar.

— Comment ? demanda Dragon d'une voix rauque.

— Ce n'était pas sa faute, intervint le Corbeau Moqueur. C'est moi le responsable.

— Ne m'adresse pas la parole ! lança Dragon.

Les yeux rouges du Corbeau Moqueur se posèrent sur moi.

— Ne lui en veux pas, Zoey Redbird.

— Lucie, comment as-tu pu laisser se produire une chose pareille ? hurlai-je sans lui répondre.

Je me tus, réalisant que je parlais comme ma mère.

— Bon sang, je savais que quelque chose clochait chez toi, Lucie, mais je n'aurais jamais imaginé un truc aussi tordu, souffla Aphrodite.

— J'aurais dû réagir, enchaîna Kramisha, qui se tenait quelques mètres plus loin, à côté de Damien et des Jumelles, tous bouche bée. Ces poèmes étaient si inquiétants !

— Par cette alliance, l'Obscurité a souillé l'école, déclara Neferet d'un ton solennel. Cette créature est certainement responsable de la mort de Jack.

— C'est n'importe quoi ! s'écria Lucie. Vous avez sacrifié Jack à l'Obscurité afin de contrôler l'âme de Kalona. Je le sais, et Rephaïm aussi. C'est pour ça qu'il était là-haut à vous surveiller. Il voulait s'assurer que vous ne feriez rien de terrible ce soir.

Alors que j'observais ma meilleure amie en train de tenir tête à Neferet, je reconnus la force et le désespoir qui émanaient d'elle, parce que j'avais éprouvé la même chose en affrontant l'ex-grande prêtresse à l'époque où c'était moi contre elle et toute une école qui la croyait parfaite.

— Il l'a complètement transformée, dit Neferet en s'adressant à la foule. Il faut les détruire !

Mon ventre se noua, et avec une certitude qui ne

pouvait me venir que de la déesse, je sus que je devais faire quelque chose.

— Bon, ça suffit, lançai-je en m'approchant de Lucie, flanquée de Stark qui ne quittait pas l'homme-oiseau du regard. Tu sais que c'est grave.

— Oui, je le sais.

— Et tu as vraiment imprimé avec lui ?

— Oui, répondit-elle avec fermeté.

— Est-ce qu'il t'a attaquée, ou forcée ? poursuivis-je, essayant de comprendre.

— Non, Zoey, c'est tout le contraire. Il m'a sauvé la vie. À deux reprises.

— Bien sûr qu'il t'a sauvé la vie ! Tu es alliée avec cette créature et avec l'Obscurité ! s'écria Neferet.

La lueur verte qui entourait Lucie s'intensifia en même temps que sa voix.

— Rephaïm m'a sauvée de l'Obscurité. C'est grâce à lui que j'ai survécu quand j'ai accidentellement appelé le taureau blanc. Et ce n'est pas parce que les autres ne se rendent pas compte de ce que vous faites que je suis dupe ! Je vois les tentacules de l'Obscurité qui obéissent à vos ordres.

— Ce sujet te semble très familier, répliqua Neferet.

— Évidemment ! s'emporta Lucie. Avant le sacrifice d'Aphrodite, l'Obscurité m'avait envahie. Je ne l'oublierai jamais, tout comme je n'oublierai pas que j'ai choisi la Lumière.

— Vraiment ? persifla Neferet d'un air suffisant. Et c'est peut-être ce que tu as fait en choisissant cette créature ? Je te rappelle que les Corbeaux Moqueurs ont été créés dans la colère, la violence et la mort. Ils vivent pour tuer et détruire. Celui-ci a assassiné Anastasia Lankford. Quel est le rapport avec la Lumière et la voie de la déesse ?

— Ce que j'étais avant de te connaître était mauvais, dit Rephaïm en regardant Lucie. Mais ensuite tu m'as trouvé et tu m'as sorti de l'Obscurité.

Je retins mon souffle alors qu'il lui touchait délicatement la joue, essuyant une larme.

— Tu as été bonne envers moi et, pendant quelque temps, j'ai eu un aperçu de ce qu'est le bonheur. Cela me suffit. Relâche-moi, Lucie, ma Rouge. Laisse-les se venger. Peut-être Nyx prendra-t-elle pitié de mon esprit et me permettra-t-elle d'entrer dans son royaume, où un jour je te retrouverai.

Lucie secoua la tête.

— Non. Je ne peux pas. Je ne veux pas. Si je suis à toi, tu es à moi aussi. Et je ne te laisserai pas partir sans me battre.

— Cela signifie-t-il que tu t'opposerais à tes amis pour lui ? hurlai-je.

Elle me regarda avec calme. Je lus sa réponse dans ses yeux avant même qu'elle ne me la donne d'une voix triste mais ferme.

— S'il le faut, oui.

Alors, elle dit une chose – la chose – qui me permit de comprendre toute cette folie, et qui changea tout pour moi.

— Zoey, tu aurais combattu n'importe qui pour me protéger quand j'étais remplie d'Obscurité, même si tu n'étais pas certaine que je redeviendrais comme avant.

Il a déjà changé, Zoey. Il a tourné le dos au mal. Comment pourrais-je faire autrement ?

— Cette chose a tué ma compagne ! beugla Dragon.

— Pour ça, ainsi que pour une multitude d'autres méfaits, il doit mourir, conclut Neferet. Lucie, si tu persistes à le défendre, alors tu n'es plus du côté de la Maison de la Nuit, et tu mérites la mort.

— Attendez, non ! intervins-je. Parfois, tout n'est pas noir ou blanc, et il existe plus d'une seule bonne réponse. Dragon, je sais que c'est terrible pour vous, mais nous devons tous nous calmer et réfléchir un instant. Vous n'envisagez pas sérieusement de tuer Lucie !

— Si elle soutient l'Obscurité, elle subira le même sort que cette créature, insista Neferet.

— Oh, je vous en prie ! lança Aphrodite. Vous venez d'admettre que vous avez soutenu l'Obscurité, et Zoey vous a pardonné. Je ne dis pas que cette histoire entre Lucie et l'homme-oiseau soit normale, mais n'auraient-ils pas droit au pardon, comme vous ?

— Parce que je ne suis plus sous l'influence de l'Obscurité, qui était personnifiée par le père de cette créature. Je ne suis plus alliée avec lui. Demandons à ce Corbeau Moqueur s'il peut en dire autant. Rephaïm, peux-tu jurer que tu n'es plus le fils de ton père ? Que tu n'es plus son allié ?

— Seul mon père peut me libérer de **son** service, répondit-il.

Je vis la satisfaction se peindre sur le visage de Neferet.

— Et as-tu demandé à Kalona de te libérer ?

— Non, dit-il en se tournant vers Lucie. S'il te plaît, comprends-moi.

— Je te comprends, je t'assure, dit-elle avant de s'adresser à Neferet. Il n'a pas demandé à son père de le libérer parce qu'il ne veut pas le trahir !

— Les raisons qui le poussent à choisir l'Obscurité n'ont aucune importance.

— À vrai dire, je crois que si, dis-je. D'ailleurs, nous parlons de Kalona comme s'il était là. N'êtes-vous pas censée l'avoir banni ?

Elle posa sur moi ses yeux verts glaciaux.

— L'immortel n'est plus à mes côtés.

— Et pourtant quelque chose me dit qu'il n'est pas loin... Euh... Rephaïm, poursuivis-je, trouvant très bizarre de parler à cette créature terrifiante comme s'il s'agissait d'un type normal. Ton père est-il à Tulsa ?

— Je... je ne peux pas répondre, fit-il, hésitant.

— Je ne te demande pas de dire du mal de lui ni de nous révéler exactement où il se trouve, précisai-je.

Je fus surprise de voir de l'angoisse dans ses yeux teintés de rouge.

— Je suis désolé. Je ne peux pas.

— Vous voyez ! Il ne dira rien contre Kalona ; il ne lui tournera pas le dos, s'écria Neferet. La présence de cette créature prouve que Kalona est soit à Tulsa, soit en route. De telle sorte que, quand il attaquera cette école – et il ne manquera pas de le faire –, son fils combattra de nouveau à ses côtés, contre nous.

— Lucie, je..., commença Rephaïm d'une voix désespérée.

— Dragon Lankford, le coupa Neferet, en tant que

grande prêtresse de cette Maison de la Nuit, je t'ordonne de la protéger. Tue ce vil Corbeau Moqueur et tous ceux qui essaieront de le défendre.

La bulle verte qui entourait mon amie tremblota et Lucie poussa un gémissement. Elle pâlit et posa la main sur sa gorge, comme si elle allait être malade.

Je fis un pas vers elle, mais Stark me retint par le bras.

— Neferet utilise l'Obscurité ! Tu ne peux pas t'interposer entre elle et Lucie, elle te blesserait.

— L'Obscurité ? répéta Neferet d'une voix puissante. Je n'utilise pas l'Obscurité, mais le pouvoir juste de la déesse. Rien d'autre ne m'aurait permis de briser cette barrière. Maintenant, Dragon, montre à cette créature ce qu'il coûte de s'en prendre à ma Maison de la Nuit !

Lucie gémit de nouveau et tomba à genoux. La lueur verte disparut. Rephaïm se pencha vers elle, exposant son dos à l'épée de Dragon.

Je levai la main, mais que pouvais-je faire ? Attaquer Dragon pour sauver le Corbeau Moqueur qui avait tué sa compagne ? J'étais paralysée. Je ne laisserais personne faire du mal à Lucie ; seulement, ce n'était pas contre elle qu'il en avait, mais contre notre ennemi, un ennemi avec lequel ma meilleure amie avait imprimé. J'avais l'impression de regarder un film d'horreur et d'attendre le début du carnage, sauf que c'était réel.

Soudain, il y eut une bourrasque de vent, et Kalona descendit du ciel, atterrissant entre son fils et Dragon. Il tenait sa terrible lance noire à la main, et il s'en servit pour parer le coup du maître d'armes, avec une telle force que Dragon tomba à genoux.

Les Fils d'Érebus passèrent aussitôt à l'action. Plus d'une dizaine d'eux se précipitèrent pour défendre le maître d'armes. Kalona se déplaçait à une vitesse surhumaine, mais même lui avait du mal à contenir autant de combattants à la fois.

— Rephaïm ! Mon fils ! Défends-moi !

CHAPITRE VINGT-DEUX

Lucie

— Tu ne peux tuer personne ! s'écria Lucie alors que Rephaïm ramassait l'épée d'un Fils d'Érebus tombé au combat.

Il la regarda et murmura :

— Force Kalona à désobéir à Neferet. C'est le seul moyen de mettre un terme à tout ça.

Puis il se précipita vers son père.

« Forcer Kalona à désobéir à Neferet ? Qu'est-ce qu'il raconte ? Je croyais qu'elle le contrôlait ! » Lucie essaya de se relever, mais les horribles filaments noirs n'avaient pas seulement coupé son bouclier de terre. Ils l'avaient aussi vidée. Elle se sentait faible, elle avait des vertiges et la nausée.

Alors, Zoey s'accroupit à son côté, tandis que Stark montait la garde devant elles, pendant que la bataille sanglante qui opposait les Fils d'Érebus à Kalona et Rephaïm faisait rage. Lucie leva les yeux juste au moment où une épée géante se matérialisait dans la main de Stark. Elle attrapa le poignet de Zoey.

— Ne laisse pas Stark faire du mal à Rephaïm ! la supplia-t-elle. S'il te plaît. Fais-moi confiance.

Zoey hocha la tête et appela son combattant.

— Ne fais pas de mal à Rephaïm.

Stark tourna la tête, sans quitter des yeux la bataille.

— Je lui ferai du mal s'il t'attaque, tu peux me croire ! répliqua-t-il.

— Il ne l'attaquera pas, dit Lucie.

— Je ne parierais pas là-dessus, fit Aphrodite, qui les avait rejoints à la hâte, tandis que Darius, épée à la main, se joignait à Stark. Ma pauvre Lucie, tu as vraiment déconné sur ce coup-là !

— Malheureusement, je suis d'accord avec Aphrodite, dit Érin.

— Ça me fait mal de l'admettre, mais elle a raison, enchérit Shaunee.

Damien, hagard, s'agenouilla de l'autre côté de Lucie et lança :

— Stop ! On lui criera dessus plus tard. Pour l'instant, trouvons un moyen de la sortir de là.

— Tu ne comprends pas ! lâcha Lucie, les yeux pleins de larmes. Je ne veux pas m'en sortir, et la seule chose que je regrette, c'est que vous n'ayez pas appris la vérité de ma bouche.

Damien la dévisagea pendant un long moment.

— Si, je comprends parce que, avant de l'avoir perdu, j'ai découvert beaucoup de choses sur l'amour.

Avant que Lucie puisse répondre quoi que ce soit, un cri de douleur attira leur attention. Kalona venait de poignarder un Fils d'Érebus à la cuisse, et le jeune combattant s'était écroulé. Mais, aussitôt, trois autres prenaient la place. Le cercle se refermait autour des deux créatures ailées.

Kalona et son fils se battaient dos à dos, subissant les assauts ininterrompus des combattants. Ils étaient complémentaires, et parfaitement synchronisés. Lucie avait conscience de la beauté de cette danse mortelle – il y avait là une grâce et une symétrie impressionnantes. Pourtant elle avait juste envie de hurler à Rephaïm de s'envoler et de se sauver.

Un combattant se jeta sur Rephaïm, qui para le coup au tout dernier moment. Malade et terrifiée, Lucie mit un moment à se rendre compte de ce qu'il faisait réellement – ou plutôt de ce qu'il ne faisait pas. Alors, elle entrevit une lueur d'espoir.

— Zoey, dit-elle en serrant la main de son amie. Regarde Rephaïm ! Il n'attaque pas, il ne blesse personne ; il ne fait que se défendre.

Zoey observa l'homme-oiseau un instant.

— Tu as raison, Lucie ! Il n'attaque pas.

Lucie éprouvait une telle fierté qu'elle en avait mal à la poitrine, comme si son cœur allait exploser. Les combattants ne cessaient pas leurs assauts. Kalona les blessait, les mutilait, les tuait même, mais Rephaïm se contentait de se défendre : il parait les coups, feintait, sautait sur le côté, mais ne faisait aucun mal aux soldats qui s'efforçaient pourtant de lui porter le coup fatal.

— C'est vrai ! s'écria Darius. Le Corbeau Moqueur est uniquement sur la défensive.

— Allez ! Supprimez-les ! hurla Neferet.

Lucie la regarda : elle semblait se délecter de la violence et de la destruction qui se déchaînaient devant elle. Pourquoi personne ne voyait-il l'horrible Obscurité qui palpitait autour d'elle, excitée, qui s'enroulait autour de ses jambes, caressait son corps, se nourrissant de son pouvoir, tout comme Neferet se nourrissait de la mort et du sang ?

Menés par un Dragon vengeur, les Fils d'Érebus redoublèrent d'efforts.

— Il faut que j'arrête ça, dit Lucie, se parlant à elle-même. Avant que ça aille trop loin et qu'il ne puisse faire autrement que de tuer quelqu'un.

— C'est impossible, déclara Zoey. Je suis sûre que Neferet avait tout prévu depuis le début. Kalona est sans doute là parce qu'elle le lui a demandé.

— Kalona peut-être, mais pas Rephaïm. Il est venu pour s'assurer que j'allais bien, et je ne veux pas qu'il le paie de sa vie.

Tout en suivant la bataille, Lucie imagina qu'elle était un arbre, un chêne immense et robuste. Ses jambes étaient des racines s'enfonçant profondément dans la terre, si loin que les fils d'Obscurité de Neferet ne pouvaient pas les atteindre. Et elle songea qu'elle puisait des forces dans son élément, riche, fertile et puissante. Soudain, la pure essence de celle-ci jaillit dans tout son corps. Elle se leva et lâcha la main de Zoey. La sienne luisait, verte. Elle fit un pas vers Rephaïm.

— Ho, tu vas où comme ça ? lança Stark pendant que Darius lui barrait le passage.

— Je vais danser avec les bêtes pour pénétrer leur déguisement, répondit Lucie, citant le poème de Kramisha, comme dans un rêve.

LIBÉRÉE

— Ça y est, elle est dingue ! commenta Aphrodite.
Lucie l'ignora, faisant face aux deux combattants.

— J'ai imprimé avec lui. Ma décision est prise. Si
vous voulez me combattre, alors soit, mais je vais aller
rejoindre Rephaïm.

— Laissez-la passer ! ordonna Zoey.

— J'ai besoin de ton aide, Zoey, dit Lucie. Si tu me
fais confiance, viens avec moi, et soutiens-moi avec
l'esprit.

— Non ! s'écria Stark. Zoey, ne te mêle pas de ça !
Elle lui sourit.

— Mais on s'en est déjà mêlés une fois, et on a
vaincu. Tu te souviens ?

— Oui, après que je suis mort.

— Ne t'inquiète pas, gardien. Je t'en sortirai de
nouveau s'il le faut, promit Zoey en se tournant vers
Lucie. Tu dis qu'il t'a sauvé la vie ?

— Deux fois, et il a affronté l'Obscurité pour moi.
Rephaïm a du bon en lui, je le jure ! S'il te plaît,
fais-moi confiance, répéta-t-elle.

— Je te ferai toujours confiance, répondit Zoey. Je
vais avec Lucie, annonça-t-elle à Stark, qui ne parut pas
du tout enchanté par cette nouvelle.

— J'y vais aussi, déclara Damien avec force. Si tu as
besoin de l'air, il sera là pour toi. Je crois toujours en
l'amour.

— Je n'aime pas cette espèce d'oiseau, mais comme
l'air n'ira pas sans le feu... lâcha Shaunee.

— Bien dit, Jumelle, fit Érin.
Lucie les regarda tous dans les yeux.

— Merci ! Vous n'imaginez pas à quel point ça compte pour moi.

— Oh, bordel, lâcha Aphrodite. Allons sauver l'horrible homme-oiseau pour que la péquenaude puisse vivre malheureuse jusqu'à la fin de ses jours.

— Oui, faisons-le, même si je ne suis pas d'accord avec ta formulation, dit Lucie en ouvrant la marche.

Mue par l'énergie de la terre, elle s'avança sans hésitation vers la scène de sang et de destruction et s'approcha de Rephaïm.

— Non ! cria-t-il. Ne bouge pas !

— Oh que si ! Damien, il est temps de passer à l'action. Appelle l'air !

Damien se tourna vers l'est.

— Air, j'ai besoin de toi. Viens à moi !

Aussitôt, le vent tourbillonna autour d'eux. Lucie haussa les sourcils en regardant Shaunee, qui leva les yeux au ciel, mais se tourna malgré tout vers le sud.

— Feu, viens brûler pour moi !

Quand la chaleur se mêla au vent, Érin se mit face à l'ouest.

— Eau, viens rejoindre le cercle !

L'odeur de la pluie parvint à leurs narines. Lucie pivota vers le nord.

— Terre, tu es déjà avec moi. S'il te plaît, rejoins le cercle toi aussi.

Le lien qu'elle avait avec le sol s'intensifia encore, et elle constata que tout son corps baignait dans une lueur vert mousse.

— Esprit, complète notre cercle, s'il te plaît, dit Zoey.

Lucie ressentit un incroyable bien-être et elle s'y accrocha alors qu'elle sortait de son cercle, comme si elle était son fer de lance. Débordant de la puissance de son élément, elle leva les bras en l'air, puisa dans la force sage et intemporelle des arbres et dit :

— Terre, fais une barrière pour que cesse ce combat.

— Air, aide-la, demanda Damien.

— Feu, remplis-la, lui fit écho Shaunee.

— Eau, soutiens-la, dit Shaunee.

— Esprit, viens-lui en aide, termina Zoey.

Lucie sentit l'adrénaline passer dans ses pieds, puis dans ses mains. Des vrilles vertes, tel du lierre, formèrent comme une cage autour de Rephaïm et de Kalona, mettant un terme au combat.

Tout le monde s'immobilisa.

— Voilà, c'est mieux. Maintenant, on va pouvoir trouver une solution.

— Alors, vous avez décidé de vous allier avec l'Obscurité vous aussi ? lança Neferet.

— C'est complètement débile ! s'insurgea Lucie. Zoey revient tout juste de l'Au-delà de Nyx. Elle a réussi à affronter Kalona, et à ramener son combattant sain et sauf, ce qu'aucune grande prêtresse n'avait jamais réussi à faire. Il n'y a rien d'obscur là-dedans.

Neferet voulut riposter, mais Lucie ne lui en laissa pas le temps.

— Je n'ai pas fini ! Peu importe qui vous arrivez à tromper : moi, je ne croirai jamais que vous avez changé. Vous êtes une menteuse, et un être profondément méchant. J'ai vu le taureau blanc, et je connais l'Obscurité avec laquelle vous jouez ; je sais à quel point vous êtes tordue. Bon sang, Neferet, je vois ses tentacules qui s'enroulent autour de vous en ce moment même ! Alors, foutez-nous la paix !

Elle tourna le dos à Neferet et fit face à Kalona. Elle ouvrit la bouche et, soudain, ne sut plus quoi dire. L'immortel ailé ressemblait à un dieu vengeur. Sa poitrine nue était éclaboussée de sang et sa lance en dégoulinait. Il la regardait avec un mélange d'amusement et de dédain de ses yeux ambrés.

« Comment ai-je pu penser que je pourrais me mesurer à lui ? songea Lucie. Je ne suis rien à côté de lui... »

— Esprit, fortifie-la, murmura Zoey.

Lucie croisa le regard de sa meilleure amie, qui lui sourit.

— Vas-y. Termine ce que tu as commencé. Tu peux y arriver.

Lucie éprouva une bouffée de gratitude. Lorsqu'elle se retourna vers Kalona, elle puisa de la force dans les racines qui la reliaient à son élément et, grâce à ce pouvoir et au soutien de ses amis, elle finit ce qu'elle avait commencé.

— Personne n'ignore que vous étiez autrefois le combattant de Nyx, et que vous êtes ici parce que vous avez tout gâché. Ce qui signifie que, même si vous êtes devenu maléfique, vous avez un jour su ce qu'étaient l'honneur, la loyauté, et peut-être même l'amour. Alors, écoutez ce que j'ai à vous dire au sujet de votre fils. Je ne sais pas comment ni pourquoi c'est arrivé, mais je l'aime, et je crois qu'il m'aime.

Elle s'interrompit et regarda Rephaïm.

— Oui, dit-il distinctement. Je t'aime, Lucie.

Elle lui sourit, débordant de fierté, de bonheur, et surtout d'amour. Puis elle se concentra sur Kalona.

— Oui, c'est bizarre. Et non, ça ne sera jamais une relation normale, et nous aurons beaucoup de problèmes à régler avec mes amis. Mais voilà le plus important : je peux lui offrir une vie pleine de bonté, de paix et de joie. Seulement, pour cela, vous devez le libérer, Kalona. Vous devez le laisser choisir entre rester avec vous ou changer de voie. Je vais prendre le risque de croire que, quelque part au fond de vous, il reste une part infime du combattant de Nyx, celui qui a protégé notre déesse et qu'il ferait le bon choix. S'il vous plaît, redevenez ce Kalona, ne serait-ce qu'une seconde.

La voix de Neferet, dédaigneuse et arrogante, brisa le long silence qui s'ensuivit, pendant lequel Kalona fixait Lucie sans ciller.

— Assez de cette comédie pitoyable ! Je vais m'occuper de cette ridicule barrière d'herbe. Dragon, venge-toi de ce Corbeau Moqueur. Quant à toi, Kalona, je te bannis de façon définitive !

Lucie la vit rassembler autour d'elle les tentacules noirs et glissants qui ne la quittaient plus désormais. Elle se prépara. Elle savait que ce serait horrible, mais il n'était pas question qu'elle recule : elle allait affronter l'Obscurité une fois de plus.

Mais alors qu'elle ressentait la première morsure de douleur glaciale et l'épuisement causés par l'Obscurité, l'immortel ailé leva la main :

— Halte ! Je suis allié avec l'Obscurité depuis bien longtemps. Ce n'est pas votre combat. Partez !

— Non ! hurla Neferet alors que les fils poisseux,

invisibles à presque toute l'assemblée, s'éloignaient, partant retrouver l'Obscurité dont ils étaient issus.

Elle se tourna vers Kalona.

— Que fais-tu, espèce d'imbécile ? Je t'ai ordonné de partir. Tu dois obéir à mes ordres ! C'est moi la grande prêtresse !

— Je ne suis pas sous tes ordres ! Je ne l'ai jamais été, déclara Kalona avec un sourire victorieux.

Il était si beau que Lucie en eut le souffle coupé.

— En effet, dit Neferet, essayant de se rattraper, c'est moi qui étais sous tes ordres.

Kalona regarda les novices sidérés et les vampires qui semblaient déchirés entre le désir de le fuir et celui de l'adorer.

— Ah, enfants de Nyx ! Comme moi, vous êtes nombreux à avoir cessé d'écouter votre déesse. Quand apprendrez-vous la leçon ?

Puis il se tourna vers Rephaïm, qui l'observait en silence.

— Est-ce vrai que tu as imprimé avec la Rouge ?

— Oui, père.

— Et tu lui as sauvé la vie ?

— Tout comme elle a sauvé la mienne, plus d'une fois. C'est elle qui m'a guéri après ma chute, et qui a soigné la terrible blessure que l'Obscurité m'avait infligée quand je l'ai affrontée pour elle. En retour, elle m'a touché avec le pouvoir de la Lumière, et avec celui de ta terre.

— Je l'ai fait parce que je ne supportais pas de te voir souffrir, enchaîna Lucie.

Lentement, comme si cela lui était difficile, Kalona posa la main sur l'épaule de son fils.

— Tu sais qu'elle ne pourra jamais t'aimer comme une femme aime un homme ? Tu désireras à jamais quelque chose qu'elle ne sera pas en mesure de te donner.

— Père, ce qu'elle me donne déjà est plus que je n'ai jamais eu.

L'espace d'un instant, Lucie vit le visage de Kalona se tordre de douleur.

— Je t'ai donné de l'amour, mon fils préféré, dit-il si bas qu'elle dut tendre l'oreille.

Rephaïm hésita et lorsqu'il finit par répondre, Lucie entendit dans sa voix l'honnêteté et la souffrance que cet aveu lui causait.

— Dans un autre monde, dans une autre vie, cela aurait pu être vrai. Dans celle-ci, vous m'avez donné du pouvoir, de la discipline et de la colère, mais pas de l'amour. Jamais.

Les yeux de Kalona brillèrent, mais Lucie crut voir plus de peine que de rage dans leurs profondeurs ambrées.

— Alors, dans ce monde, dans cette vie, je vais te donner une dernière chose : la liberté de choix. Choisis, Rephaïm, entre le père que tu as servi et suivi loyalement pendant des siècles, entre le pouvoir qu'il t'a donné, et l'amour de cette grande prêtresse vampire, qui ne t'appartiendra jamais complètement parce qu'elle sera toujours horrifiée par le monstre qui est en toi.

Rephaïm se tourna vers Lucie. Il y avait une question dans son regard, et elle lui répondit avant qu'il ne puisse la poser à voix haute.

— Je ne vois pas de monstre quand je te regarde — ni à l'extérieur ni à l'intérieur. Alors, non, je ne suis pas horrifiée. Je t'aime, Rephaïm.

Lucie ferma les yeux, prise d'un léger malaise. Il était bon, elle le savait, mais la choisir plutôt que son père changerait à jamais le cours de sa vie. Il était à moitié immortel, et l'expression « à jamais » était littérale pour lui. Peut-être qu'il ne pourrait pas — peut-être qu'il ne voudrait pas, qu'il...

— Père...

Lucie ouvrit les yeux en entendant la voix de Rephaïm. Il s'adressait à Kalona, mais c'était elle qu'il fixait.

— Je choisis Lucie, et la voie de la déesse.

Kalona grimaça de douleur.

— Qu'il en soit ainsi, dit-il d'une voix rauque. À partir de ce jour, tu n'es plus mon fils. J'implorerais bien la bénédiction de la déesse, mais elle ne m'écoute plus. Je tiens cependant à t'avertir : quand la Rouge réalisera qu'elle ne peut pas t'aimer de tout son être, comme toi, tu l'aimes, cela te tuera.

Il déplia ses grandes ailes, leva les bras.

— J'ai parlé. Rephaïm est libre ! Qu'il en soit ainsi ! répéta-t-il.

Ailes tendues, corps magnifié par sa puissance, Kalona posa ses yeux ambrés sur Neferet. Il ne dit pas un mot de plus. Il s'élança dans le ciel, laissant une traînée d'un rire moqueur derrière lui.

Une plume blanche tomba aux pieds de Lucie. Elle en fut tellement étonnée que la barrière qu'elle avait érigée autour de Rephaïm se dissipa sans qu'elle s'en aperçoive. Elle se penchait pour ramasser la plume quand Neferet ordonna :

— Maintenant que l'immortel s'est enfui, tue son fils, Dragon ! Je ne suis pas dupe de cette comédie.

Désespérée, Lucie sentit la morsure terrible de l'Obscurité briser son lien avec la terre. Elle ne fut même pas capable de crier lorsque Dragon fondit sur Rephaïm.

CHAPITRE VINGT-TROIS

Rephaïm

Rephaïm n'avait pas eu le temps de comprendre ce qui se passait quand Neferet avait ordonné sa mise à mort. Il regardait Lucie, qui observait quelque chose dans l'herbe. Ensuite, ce fut le chaos : la lueur verte qui l'entourait s'éteignit. Lucie blêmit et vacilla. Le Corbeau Moqueur était tellement concentré sur elle qu'il ne vit pas Dragon se jeter sur lui, imité par quelques combattants.

Soudain, Zoey, l'amie de Lucie, se plaça entre lui et les Fils d'Érebus.

— Non ! On ne s'en prend pas à ceux qui ont choisi le chemin de la déesse, déclara-t-elle d'une voix puissante.

Les combattants s'arrêtèrent devant elle, hésitants. Rephaïm nota que Stark et Darius s'étaient postés des deux côtés de Zoey. Ils avaient tous deux l'épée tirée, mais leur expression en disait long sur leur désarroi : aucun ne voulait frapper ses frères.

« C'est ma faute s'ils se dressent les uns contre les autres », songea Rephaïm.

— Tu veux que les combattants s'affrontent entre eux ? demanda Neferet, incrédule, à Zoey.

— Vous voulez que vos combattants tuent un être au service de leur déesse ? répliqua cette dernière.

— Alors, tu es désormais capable de juger ce qu'il y a dans le cœur d'autrui ? persifla Neferet. Même les vraies grandes prêtresses ne prétendent pas détenir ce talent divin !

À cet instant, Rephaïm sentit que l'air autour de lui se transformait comme avant un éclair, quand l'atmosphère se charge d'électricité. Dans un éclat de puissance et de lumière, la grande déesse de la Nuit, Nyx, apparut au milieu de l'assemblée.

— *Non, Neferet, Zoey ne peut prétendre détenir ce talent divin, mais moi, oui.*

Tous les tentacules d'Obscurité se retirèrent au son de sa voix. Lucie fit un drôle de bruit, comme si elle venait de relâcher son souffle après l'avoir retenu très longtemps, et tomba à genoux.

Autour de lui, Rephaïm entendit des murmures ébahis : « C'est Nyx ! » « C'est la déesse ! » « Oh, soyez bénie ! »

Nyx était bel et bien la nuit personnifiée. Ses cheveux scintillaient d'une lueur argentée ; ses yeux étaient comme le ciel de la nouvelle lune : noirs et sans limites. Son corps était presque transparent. Rephaïm crut apercevoir de la soie noire qui dansait dans le vent et des courbes de femme – peut-être même un croissant de lune tatoué sur son front lisse ; mais plus il essayait d'observer la déesse, plus elle lui semblait translucide et incandescente. C'est là qu'il se rendit compte qu'il était le seul à être resté debout. Tout le monde s'était agenouillé devant Nyx, alors, il en fit de même.

Il n'avait pas à s'inquiéter de sa réaction tardive. L'attention de Nyx était ailleurs. La déesse flottait au-dessus de Damien, qui ignorait qu'elle s'était appro-chée, car il gardait les yeux fermés.

— *Damien, mon fils, regarde-moi.*

Il s'exécuta avant de souffler :

— Oh, Nyx ! C'est vraiment vous ! Je pensais vous avoir imaginée.

— *Peut-être est-ce le cas, d'une certaine manière. Je veux que tu saches que ton Jack est avec moi, et qu'il est l'un des esprits les plus purs et les plus joyeux que mon royaume ait jamais connus.*

Les yeux de Damien s'emplirent de larmes.

— Merci. Merci ! Cela m'aidera à surmonter cette perte.

— *Mon fils, souviens-toi de lui, et réjouis-toi de l'amour bref et magnifique que vous avez partagé. Il ne s'agit pas d'oublier, ou de passer à autre chose, mais de guérir.*

Damien sourit à travers ses larmes.

— Je m'en souviendrai. Je m'en souviendrai à jamais et je suivrai toujours votre voie, Nyx. Je vous donne ma parole.

La déesse regarda Zoey avec affection.

— Bonjour, ma déesse, dit celle-ci en lui souriant.

Le ton familier de sa voix choqua Rephaïm : n'aurait-elle pas dû se montrer plus respectueuse, plus crain-tive ?

— *Bonjour, Zoey Redbird !* dit Nyx en lui rendant son sourire.

L'espace d'un instant, elle ressembla à une adorable petite fille – une petite fille qui lui était familière. Soudain, il la reconnut. Le fantôme ! Le fantôme du musée, c'était la déesse !

Alors, Nyx se mit à parler, s'adressant à tous, et son visage devint si éthéré, si brillant, qu'il était difficile de le fixer, et impossible de penser à autre chose qu'aux mots qui s'élevaient telle une symphonie autour d'eux.

— *Beaucoup de choses sont arrivées ici ce soir. Des choix décisifs ont été faits, ce qui signifie que pour certains de vous de nouvelles voies se sont ouvertes. Pour d'autres, elles se sont fermées, car leurs décisions sont prises depuis longtemps. Et d'autres encore se trouvent devant un précipice.*

Son regard s'attarda sur Neferet, qui inclina la tête.

— *Tu as changé, ma fille. Tu n'es plus celle que tu étais. Sincèrement, dois-je encore t'appeler ma fille ?*

— Nyx ! Grande déesse ! Comment pouvez-vous en douter ?

Neferet avait parlé sans relever la tête ; et ses cheveux épais couvraient entièrement son visage, dissimulant son expression.

— *Ce soir, tu as demandé mon pardon, et Zoey a donné une réponse. J'en donnerai une autre. Le pardon est un cadeau très précieux que l'on doit mériter.*

— Je vous supplie humblement de me faire ce cadeau, Nyx.

— *Quand tu le mériteras, tu l'auras.*

Sur ce, la déesse se tourna vers le maître d'armes, qui posa le poing sur son cœur en signe de respect.

— *Ton Anastasia est libre de toute souffrance et de tout remords*, dit-elle. *Feras-tu le même choix que Damien en apprenant à te réjouir de l'amour que vous avez vécu et à aller de l'avant, ou choisiras-tu de détruire ce qu'elle aimait tant chez toi — ta capacité à te montrer à la fois fort et clément ?*

Le Corbeau Moqueur regardait Dragon, attendant une réponse qui ne vint pas, quand la déesse prononça son nom.

— *Rephaïm.*

Il la fixa pendant quelques secondes, puis, se rappelant qui il était, il baissa la tête, honteux, et dit la première chose qui lui vint à l'esprit.

— Ne me regardez pas, je vous en prie !

La main de Lucie se glissa dans la sienne.

— Ne t'inquiète pas. Nyx n'est pas là pour te punir.

— *Et comment le sais-tu, jeune grande prêtresse ?*

Lucie serra la main de l'homme-oiseau, mais sa voix ne faiblit pas.

— Parce que vous pouvez voir dans son cœur, et je sais ce que vous y trouverez.

— *Et qu'y a-t-il dans le cœur de ce Corbeau Moqueur, selon toi, Lucie ?*

— De la bonté. Et je ne le considère plus comme un Corbeau Moqueur. Son père l'a libéré. Alors, je pense qu'il est désormais, euh... eh bien, un garçon différent de tous les autres.

— *Je vois que tu es liée à lui.*

— En effet, répondit Lucie fermement, et je le resterai.

— *Même si ce lien pouvait diviser cette Maison de la Nuit, voire le monde entier?*

— Quand ma mère taillait ses rosiers, répondit Lucie, je pensais qu'elle allait leur faire du mal, peut-être même les tuer. Or elle m'a expliqué qu'il fallait parfois couper les choses anciennes pour faire de la place aux nouvelles.

Rephaïm la regarda, surpris. Elle lui sourit et, à ce moment précis, il désira comme jamais auparavant pouvoir lui rendre son sourire et la prendre dans ses bras comme un garçon normal, parce qu'il lisait dans ses yeux de la chaleur, de l'amour, du bonheur, et pas la moindre trace de remords ou de rejet.

Lucie lui donna la force de croiser le regard infini de la déesse. Et il y vit la même chaleur, le même amour et le même bonheur que dans les yeux de la Rouge.

Il lâcha sa main pour fermer son poing sur le cœur.

— Je vous salue, déesse Nyx.

— *Bonjour, Rephaïm. Tu es le seul fils de Kalona à avoir tourné le dos à la rage et à la douleur de votre conception, à la haine qui a rempli votre longue vie, le seul à avoir cherché la Lumière.*

— Aucun de mes frères n'avait Lucie.

— *Il est vrai qu'elle a influencé ton choix, mais il fallait que tu sois ouvert à la Lumière.*

— Ça n'a pas toujours été comme ça. J'ai fait des choses affreuses dans le passé. Ces combattants ont raison de vouloir me tuer.

— *Regrettes-tu tes méfaits ?*

— Oui.

— *Jures-tu de suivre désormais ma voie ?*

— Oui.

— *Rephaïm, fils du combattant immortel déchu Kalona, je t'accepte à mon service et te pardonne tes erreurs.*

— Merci, Nyx, dit Rephaïm d'une voix rauque.

— *Me remercieras-tu quand je te dirai que tu dois payer les conséquences de tes choix passés ?*

— Peu importe ce que je dois subir ! Je vous remercierai pour l'éternité, je le jure, répondit-il sans hésitation.

— *Espérons que tu auras de très nombreuses années pour tenir cette promesse. Sache donc quelle en est la conséquence.*

Elle leva les bras en l'air comme si elle voulait attraper la lune entre ses mains. On aurait dit qu'elle amassait la lumière des étoiles.

— *Puisque tu as réveillé l'humanité en toi, chaque nuit, du coucher au lever de soleil, je te donnerai la forme que tu mérites,* dit Nyx avant de lui lancer la bulle de pouvoir qui brillait entre ses mains.

La sphère lumineuse transperça son corps, lui causant une telle douleur qu'il hurla, à l'agonie, et s'effondra à terre. Alors qu'il était allongé là, paralysé, il n'avait plus conscience que de la voix de la déesse.

— *Pour expier ton passé, tu perdras le jour ta véritable forme et retrouvera celle du corbeau, qui ne connaît que les vils désirs des bêtes. Réfléchis bien à l'usage que tu feras de ton humanité. Apprends de tes erreurs, et apprends à contrôler la bête. J'ai parlé – qu'il en soit ainsi.*

La douleur s'atténuant, Rephaïm réussit à regarder la déesse alors qu'elle ouvrait les bras et disait joyeusement :

— *Je vous laisse avec mon amour et je vous bénis.*

Aussitôt, elle disparut dans une explosion de lune. La lumière aveuglante n'arrangea rien à la confusion de Rephaïm. Son corps lui paraissait étrange, inconnu, il avait le vertige. Il baissa les yeux... Le choc fut si violent qu'il ne comprit pas tout de suite ce qu'il voyait. « Pourquoi ai-je le corps d'un homme ? » Ce furent les sanglots de Lucie qui le sortirent de sa transe. Il s'aperçut qu'elle pleurait et riait en même temps.

— Que s'est-il passé ? demanda-t-il, hébété.

Lucie, incapable de répondre, versait des larmes de joie.

Une main apparut dans son champ de vision et il leva les yeux sur la grande prêtresse novice, Zoey, qui lui souriait d'un air espiègle. Il prit la main qu'elle lui tendait et se remit debout, un peu tremblant.

— Il s'est passé que notre déesse t'a transformé en jeune homme, lui apprit Zoey.

La vérité le frappa alors de plein fouet, et il faillit tomber à genoux.

— Je suis humain. Complètement humain !

Il examina le grand corps puissant d'un jeune combattant cherokee.

— Oui, mais juste la nuit, dit Zoey. Le jour, tu seras complètement corbeau.

Rephaïm l'entendit à peine. Il se tournait déjà vers Lucie. Elle fit un pas incertain vers lui, puis s'arrêta, hésitante, et s'essuya le visage.

— C'est... c'est laid ? Je ne suis pas normal ? s'inquiéta-t-il.

— Non, répondit-elle en cherchant son regard. Tu es parfait. Tu es le garçon qu'on a vu dans la fontaine.

— Tu vas... Je peux...

Il se tut, trop ému pour trouver ses mots, et parcourut en deux grandes enjambées la distance qui le séparait de Lucie. Il la prit dans ses bras, puis il fit ce qu'il avait à peine osé imaginer dans ses rêves : il l'embrassa sur les lèvres. Il goûta ses larmes et son rire, et sut finalement ce que c'était d'être entièrement, profondément heureux.

Pourtant il la repoussa avec douceur.

— Attends, je dois faire quelque chose.

Il n'eut aucun mal à trouver Dragon Lankford, dont il sentait peser sur lui le regard. Il s'approcha lentement de lui, sans gestes brusques. Malgré ses précautions, les combattants qui entouraient Dragon changèrent de position, prêts à se battre aux côtés de leur maître d'armes.

Rephaïm s'arrêta devant Dragon. Il le regarda dans les yeux et y vit de la douleur et de la colère. Il hocha la tête.

— Je vous ai causé une perte terrible. Je veux vous dire que je le regrette. Je n'espère pas le pardon que vous a demandé la déesse.

Il mit un genou à terre.

— Ce que j'implore, c'est que vous me permettiez de rembourser la dette que j'ai contractée envers vous. Si vous m'acceptez à votre service, aussi longtemps que je respirerai j'essaierai, par mes actions et avec honneur, de racheter la mort de votre compagne.

Dragon ne dit rien. Des émotions contradictoires se lisaient sur son visage : haine, désespoir, colère, tristesse. Jusqu'à ce que, finalement, il ne se fige en un masque de détermination.

— Relève-toi, créature, dit-il d'un ton neutre. Je n'accepte pas ta proposition. Je ne peux supporter de te regarder.

— Dragon, réfléchissez à ce que vous dites, intervint Zoey en rejoignant Rephaïm, Stark sur les talons. Je sais que c'est difficile – je sais ce que c'est de perdre un être aimé. Mais vous devez choisir votre façon de vivre à partir de maintenant, et il semblerait que vous optez pour l'Obscurité, et non pour la Lumière.

Dragon lui répondit d'une voix glaciale, assortie d'un regard cruel :

— Tu prétends savoir ce que c'est de perdre l'être aimé ? Combien de temps as-tu aimé cet humain ? Moins d'une décennie ! Anastasia a été ma compagne pendant plus d'un siècle.

Zoey tressaillit, comme s'il l'avait frappée, et Stark se rapprocha d'elle en regardant le maître d'armes d'un air mauvais.

— Voilà pourquoi une enfant ne peut diriger une Maison de la Nuit. Ni être une véritable grande prêtresse, même si la déesse est indulgente avec elle, déclara Neferet, qui s'était coulée à côté de Dragon et lui toucha le bras avec déférence.

— Une seconde, sorcière ! lança Aphrodite. Je ne me rappelle pas avoir entendu Nyx dire qu'elle vous pardonnait. Elle a parlé de *si* et de *peut-être*, mais, corrigez-moi si je me trompe, elle n'a pas dit : « *Hé, Neferet, tu es pardonnée.* »

— Tu n'as rien à faire dans cette école ! hurla Neferet. Tu n'es plus une novice !

— Non, c'est une prophétesse, l'avez-vous oublié ? répliqua Zoey avec calme. Même le Conseil Supérieur l'a reconnu.

Au lieu de lui répondre, Neferet s'adressa à l'assemblée de novices et de vampires.

— Voyez comme elles déforment les paroles de la déesse, quelques secondes à peine après son apparition !

Rephaïm avait beau savoir qu'elle était malfaisante et qu'elle n'était plus au service de Nyx, il devait reconnaître qu'elle était magnifique. Il voyait cependant les fils d'Obscurité, qui avaient réapparu et la remplissaient, nourrissant sa faim de pouvoir.

— Personne ne déforme rien, riposta Zoey. Nyx a pardonné à Rephaïm et l'a transformé en humain. Elle a aussi demandé à Dragon de choisir sa voie. Et elle vous a expliqué que le pardon était un cadeau qui se mérite. C'est tout ce que nous disons.

— Dragon Lankford, en tant que maître d'armes et chef des Fils d'Érebus de cette Maison de la Nuit, acceptes-tu ceci ? dit Neferet en désignant Rephaïm avec une grimace de dégoût. Considères-tu cette aberration comme faisant partie des nôtres ?

— Non, répondit-il. Non, je ne peux pas l'accepter.

— Alors, je ne l'accepte pas non plus. Rephaïm, nous ne t'autorisons pas à rester dans notre Maison de la Nuit. Va-t'en, vile créature, et expie tes fautes ailleurs.

Rephaïm ne bougea pas. Il attendit que Neferet le regarde et dit :

LIBÉRÉE

— Je vous vois telle que vous êtes.

— Va-t'en ! s'égosilla-t-elle.

Il commença à reculer, mais Lucie lui prit la main et l'arrêta.

— J'irai là où il ira, annonça-t-elle.

Il secoua la tête.

— Je ne veux pas que tu sois renvoyée de chez toi à cause de moi.

D'un geste timide, Lucie lui toucha le visage.

— Chez moi, c'est là où tu es.

Incapable de parler, Rephaïm se contenta de hocher la tête et de lui sourire. *Sourire !* C'était une sensation incroyablement agréable.

Lucie retira doucement sa main et se tourna vers la foule.

— Je pars avec lui. Je vais fonder une nouvelle Maison de la Nuit dans les souterrains de la gare. Ce n'est pas aussi joli qu'ici, mais c'est bien plus accueillant.

— Tu ne peux pas fonder une Maison de la Nuit sans l'autorisation du Conseil Supérieur ! aboya Neferet.

Des murmures choqués montèrent de l'assemblée.

— S'il y a une reine vampire, et si elle accepte de ne pas se mêler des affaires du Conseil Supérieur, alors celui-ci la laissera tranquille, déclara Zoey en souriant à Lucie. Il se trouve que, par coïncidence, je viens en quelque sorte d'être faite reine. Et si je vous accompagnais, toi et Rephaïm ? Je préfère cent fois un endroit accueillant à un endroit bien décoré.

— Moi aussi, dit Damien, qui regarda une dernière

287

fois le bûcher fumant. Je choisis de prendre un nouveau départ.

— On part avec vous, lança Shaunee au nom des deux Jumelles.

— Merde ! lâcha Aphrodite. Je savais que cette soirée allait mal se terminer. Ça craint, mais pas question que je reste ici.

Alors qu'elle s'appuyait contre son combattant avec un soupir théâtral, tous les novices rouges sortirent de la foule et se placèrent à côté de Lucie, Rephaïm, Zoey, Stark et le reste de leur cercle.

— Ça veut dire que je ne serai plus Poète Lauréate de tous les vampires ? demanda Kramisha, l'air déçue.

— Seule Nyx peut te retirer ce titre, la rassura Zoey.

— Vous ne serez rien si vous quittez cette maison ! s'écria Neferet.

— Rien, plus vos amis, ça fait déjà beaucoup, vous savez !

— Ça n'a aucun sens, répliqua Neferet.

— Pour vous, bien sûr que non, dit Rephaïm en passant le bras autour des épaules de Lucie.

— Rentrons chez nous, dit celle-ci.

— En voilà une bonne idée, fit Zoey, qui avait pris la main de Stark.

— Quelque chose me dit qu'on va devoir faire un sacré ménage, marmonna Kramisha alors qu'ils s'éloignaient.

— Le Conseil Supérieur des vampires sera informé de tout ceci ! cria Neferet.

— Oui, eh bien, il n'aura pas de mal à nous joindre, rétorqua Zoey par-dessus son épaule. On a Internet. Et puis, nous serons nombreux à revenir pour les cours. Il s'agit toujours de notre école, même si ce n'est plus notre maison.

— Oh, super ! maugréa Aphrodite. On sera comme des gamins de la cité qui vont au lycée en bus.

— C'est quoi, la cité ? demanda Rephaïm à Lucie.

— C'est un endroit différent, qui, pour beaucoup, n'est pas très chouette.

— Je suis pour le renouveau du tissu urbain, déclara Aphrodite.

Rephaïm comprit que son visage était un grand point d'interrogation lorsque Lucie le serra contre elle, amusée.

— Ne t'en fais pas ! On aura plein de temps pour t'expliquer ces trucs modernes. Pour l'instant, tout ce que tu dois savoir, c'est qu'on est ensemble, et qu'en règle générale Aphrodite n'est pas très gentille.

Elle se mit sur la pointe des pieds et l'embrassa, et Rephaïm la laissa noyer les voix de son passé et le souvenir obsédant du vent sous ses ailes...

CHAPITRE VINGT-QUATRE

Neferet

Neferet ne se reconnaissait pas : elle avait réussi à se contrôler et à laisser partir Zoey et son pathétique groupe de gamins, alors même qu'elle mourait d'envie de relâcher l'Obscurité sur eux et de les réduire à néant.

Elle inhala avec précaution, absorbant avec délices les fils d'Obscurité qui ondoyaient autour d'elle. Lorsqu'elle se sentit forte, confiante et calme, elle s'adressa à ses sous-fifres, ceux qui étaient restés dans *sa* Maison de la Nuit.

— Réjouissez-vous, novices et vampires ! L'apparition de Nyx était un signe de la faveur qu'elle nous accorde. La déesse a parlé de choix, de cadeaux, de nouvelle vie. Malheureusement, Zoey et ses amis ont choisi un chemin qui les éloigne de nous, et donc de Nyx. Mais nous relèverons ce défi, nous persévérerons et nous prierons la déesse miséricordieuse de nous ramener ces novices qui se sont égarés.

Elle vit le doute dans le regard de certains de ses

auditeurs. D'un geste presque imperceptible, elle pointa ses ongles rouges vers ces sceptiques. L'Obscurité répondit aussitôt, les prenant pour cible ; ses filaments s'accrochèrent à eux et embrouillèrent leur esprit, y semant le doute et la peur.

— Maintenant, retirons-nous tous dans nos chambres et allumons chacun une bougie représentant l'élément dont nous sommes le plus proches. Je suis sûre que Nyx entendra nos prières et nous aidera en ces temps de souffrances et de conflit.

— Neferet, et le corps du novice ? demanda Dragon. Ne doit-on pas continuer à le veiller ?

Elle s'efforça de ne pas montrer son dédain.

— Tu fais bien de me le rappeler, maître d'armes. Ceux qui ont honoré Jack avec une bougie violette de l'esprit doivent la jeter sur le bûcher en partant. Les Fils d'Érebus veilleront le corps de ce pauvre novice pendant le reste de la nuit.

« Et, comme ça, je serai débarrassée à la fois du pouvoir des bougies qui seront consumées par les flammes, et de la présence dérangeante de trop nombreux combattants », pensa-t-elle.

Dragon s'inclina devant elle.

— Comme tu le souhaites, prêtresse.

Elle lui accorda à peine un regard.

— Maintenant, je dois m'isoler. Je pense que le message que m'a adressé Nyx peut être interprété de différentes façons. Elle en a murmuré une partie à mon cœur. Je vais prier et méditer.

— Ce qu'elle a dit t'a perturbée à ce point ?

Neferet avait déjà commencé à s'éloigner quand la

voix de Lenobia l'arrêta. « J'aurais dû me douter qu'elle n'était pas tombée dans mon piège », se dit-elle.

Elle dévisagea le professeur d'équitation, les yeux plissés. Puis, d'une chiquenaude, elle envoya l'Obscurité dans sa direction. À sa grande surprise, Lenobia lança des coups d'œil autour d'elle, comme si elle voyait les fils, ce qui la préoccupa.

— Oui, ce que Nyx a dit m'a effectivement perturbée, répondit-il brusquement. La déesse se fait beaucoup de souci au sujet de notre Maison de la Nuit. Elle a parlé d'une déchirure dans notre monde – et c'est ce qui est arrivé. Elle essayait de me prévenir. Je regrette simplement de ne pas avoir réussi à l'empêcher.

— Elle a pardonné à Rephaïm. N'aurait-on pas pu...

— La déesse a pardonné à la créature, c'est vrai. Mais cela signifie-t-il que nous devons la tolérer en notre sein ?

Elle désigna d'un geste gracieux Dragon Lankford, qui se tenait, misérable, près du bûcher.

— Notre Fils d'Érebus a fait le bon choix. Malheureusement, trop de jeunes novices se sont fait entraîner par Zoey et Lucie. Comme Nyx l'a dit elle-même tout à l'heure, le pardon est un cadeau qui se mérite. Espérons pour Zoey qu'elle continuera à bénéficier de la bienveillance de la déesse... Après ce qu'elle a fait, j'ai peur pour elle.

Alors que la foule contemplait le maître d'armes, Neferet fit sortir de plus en plus de fils d'Obscurité. Puis elle les lança tout autour d'elle, réprimant un sourire satisfait quand elle entendit des gémissements confus.

— Partez ! Allez dans vos chambres, priez et repo-
sez-vous. Cette soirée a été très éprouvante. Je vous
bénis !

Elle s'éloigna en murmurant : « Il sera là ! Il m'attendra ! » Elle rassemblait son pouvoir qui palpitait au
rythme de l'Obscurité et s'y abandonna, la laissant porter son corps désormais immortel sur les ailes incolores
de la mort, de la souffrance et du désespoir.

Mais avant qu'elle n'atteigne l'appartement luxueux
où, elle en était certaine, l'attendait Kalona, elle sentit
cette puissance qui la portait se transformer.

D'abord, elle fut saisie par le froid ; puis elle s'écroula
soudain au milieu de la 11ᵉ rue. La Tsi Sgili se releva
et regarda autour d'elle, essayant de reprendre ses
esprits. À sa gauche, le cimetière attira son attention :
elle devinait qu'il y avait quelqu'un à l'intérieur. D'un
seul mouvement, elle attrapa un fil d'Obscurité qui
battait en retraite, s'y accrocha et le força à la hisser
par-dessus la barrière en barres de fer pointues.

Elle se mit à courir entre les tombes et les monu-
ments en ruine que les humains trouvaient si apaisants.
Finalement, elle parvint au centre du cimetière, à
l'endroit où quatre larges allées pavées formaient un
cercle et où trônait un drapeau américain.

C'est là qu'elle le vit. Elle avait déjà aperçu le taureau
blanc auparavant, mais il ne s'était jamais matérialisé
ainsi, tout entier.

Elle resta sans voix devant sa perfection. Son pelage,
d'un blanc lumineux, luisait comme une perle magnifique. Elle retira la chemise de Stark, révélant sa nudité

au regard noir et dévorant de la bête. Puis elle tomba gracieusement à genoux.

Tu t'es dénudée devant Nyx, et maintenant tu te dénudes devant moi ?

Sa voix résonnait dans son esprit, provoquant des frissons d'anticipation dans tout son corps.

— Je ne me suis pas dénudée devant elle, vous le savez mieux que quiconque. La déesse et moi ne suivons plus le même chemin. Je ne suis plus mortelle, et je ne désire pas me soumettre à une autre femme.

Le colossal taureau blanc s'avança vers elle, faisant trembler le sol sous ses gros sabots fendus. Sans toucher sa peau délicate, il la renifla, puis souffla, et son haleine glacée caressa le corps de Neferet, éveillant ses désirs les plus secrets.

Alors, plutôt que de te soumettre à une déesse, tu préfères courir après un immortel déchu ?

Neferet plongea les yeux dans ceux, noirs et sans fond, du taureau.

— Kalona n'est rien pour moi. J'allais justement le retrouver pour le punir d'avoir brisé son serment. C'est mon droit le plus strict.

Il n'a brisé aucun serment. Il n'a jamais été lié à toi. L'âme de Kalona n'est plus immortelle – il en a bêtement abandonné une part.

— Vraiment ? Comme c'est intéressant...

Tout le corps de Neferet vibrait, tant elle était excitée par cette nouvelle.

Je vois que tu es toujours attirée par l'idée de l'utiliser.

Neferet releva la tête et rejeta ses longs cheveux roux en arrière.

— Je ne suis pas sous le charme de Kalona. Je souhaite seulement exploiter ses pouvoirs.

Tu es une créature sublime et sans cœur. Le taureau tira la langue et lécha la peau nue de Neferet. Elle poussa un gémissement de douleur exquise en tremblant. *Cela fait plus d'un siècle que je n'ai pas eu d'adepte aussi enthousiaste. Cette idée me semble soudain très séduisante...*

Toujours à genoux devant lui, lentement, doucement, Neferet tendit la main et le toucha. Son pelage était aussi froid que de la glace et lisse comme de l'eau.

Elle le sentit frémir. Sa voix pénétra dans son âme, lui fit tourner la tête. *J'avais oublié comme les caresses peuvent être surprenantes quand elles ne sont pas forcées. Je ne suis pas souvent surpris, et je tiens à te faire une faveur en retour.*

— J'accepterai volontiers n'importe quelle faveur de la part de l'Obscurité, déclara Neferet.

Le ricanement entendu de l'Obscurité gronda dans son esprit. *Oui, j'aimerais te faire un cadeau.*

— Un cadeau ? demanda-t-elle d'une voix haletante, savourant l'ironie : les mots de l'Obscurité reflétaient ceux de Nyx. Quoi donc ?

Aimerais-tu que je crée pour toi un instrument qui prendrait la place de Kalona ? Il obéirait à tes ordres — il te servirait d'arme absolue.

— Serait-il puissant ?

Si le sacrifice est à la hauteur, il serait très puissant.

— Je sacrifierai n'importe quoi et n'importe qui à l'Obscurité. Dites-moi ce que vous désirez, et je vous le donnerai.

Pour créer l'Instrument, il me faut la vie et le sang d'une femme qui possède des liens anciens avec la terre, des liens transmis de génération en génération de matriarches. Plus la femme sera âgée, pure et forte, plus parfait sera l'Instrument.

— Humaine ou vampire ?

Humaine — elles sont plus profondément liées à la terre, car leur corps y retourne beaucoup plus facilement que celui des vampires.

Neferet sourit.

— Je sais exactement qui ferait parfaitement l'affaire. Si vous m'emmenez jusqu'à elle ce soir, je vous donnerai son sang.

Les yeux noirs du taureau se mirent à pétiller, et Neferet crut y lire de l'amusement. Alors, il plia ses énormes pattes avant pour qu'elle puisse monter sur son dos.

Je suis intrigué par ton offre, ma belle sans cœur. Montre-moi cette personne.

Sans hésitation, Neferet se leva. Elle sentit la puissance familière de l'Obscurité, qui la hissa facilement et la posa à califourchon sur son dos.

Visualise l'endroit où tu veux que je t'emmène, et je t'y conduirai.

Neferet se pencha en avant, passa les bras autour du cou de la bête, puis se représenta des champs de lavande et une jolie petite maison en pierre d'Oklahoma, avec une véranda en bois accueillante et de grandes fenêtres…

Linda Geniss

Cela lui coûtait de l'admettre, mais sa mère avait eu raison depuis le début.

— John Geniss est un *su-li*, marmonna-t-elle.

Ce mot cherokee signifiait « buse », et c'est comme ça que la mère de Linda avait appelé John le jour où elle l'avait rencontré pour la première fois.

— Oui, et c'est aussi un menteur et un abruti – qui de surcroît n'a plus un sou, ni sur son compte à vue, ni sur son livret d'épargne, parce que je les ai vidés aujourd'hui, juste après l'avoir surpris avec sa secrétaire !

Elle resserra les mains sur le volant de sa voiture tout en se repassant cette scène horrible. Elle s'était dit que ce serait une bonne surprise de lui apporter son dîner au bureau. John travaillait si tard, faisait tellement d'heures supplémentaires ! Et pourtant, même après de longues journées de travail, il continuait à faire du bénévolat à l'église…

Linda crispa la mâchoire. Maintenant, elle savait ce qui l'avait tellement occupé ! Ou plutôt, *qui* !

Elle aurait dû s'en douter. Tous les signes étaient là : il ne faisait plus attention à elle, il rentrait au milieu de la nuit, avait perdu cinq kilos, et s'était même fait blanchir les dents !

Il avait essayé de la retenir, comme elle s'y attendait. Il avait même tenté de l'empêcher de quitter son bureau, mais il avait eu bien du mal, avec son pantalon aux chevilles.

— Le pire, c'est qu'il ne veut pas que je reste parce qu'il m'aime. C'est juste pour sauver sa réputation.

Elle se mordit les lèvres et retint ses larmes.

— Non, le pire, c'est que John Geniss ne m'a jamais aimée. Il voulait simplement passer pour le parfait mari et père de famille, et pour ça, il avait besoin de moi. Notre famille n'a jamais été parfaite, loin s'en faut, et jamais heureuse.

« Ma mère avait raison. Zoey aussi. »

À cette pensée, elle se mit à pleurer. Zoey lui manquait. De ses trois enfants, c'est d'elle qu'elle avait été la plus proche. Elle sourit à travers les larmes au souvenir des week-ends qu'elles avaient passés ensemble, blotties sur le canapé, à manger des cochonneries en regardant *Le Seigneur des Anneaux*, *Harry Potter* ou *Star Wars*. Quand avaient-elles fait ça pour la dernière fois ? Cela remontait à des années. Le referaient-elles un jour ? Linda hoqueta. Serait-ce possible, maintenant que Zoey était à la Maison de la Nuit ?

Zoey accepterait-elle seulement de la revoir ?

Elle ne se pardonnerait jamais d'avoir laissé John saccager irrémédiablement sa relation avec sa fille.

C'était à cause de cela qu'elle avait pris sa voiture en pleine nuit pour se rendre chez sa mère. Elle voulait lui demander comment réparer sa relation avec Zoey. Elle espérait aussi s'appuyer sur sa force pour rester ferme et ne pas se laisser convaincre par John de revenir auprès de lui.

Mais, surtout, elle avait besoin que sa mère la serre dans ses bras et la rassure, lui dise que tout irait bien, qu'elle avait pris la bonne décision.

Perdue dans ses pensées, Linda faillit dépasser la route menant chez elle. Elle freina brusquement et tourna à droite de justesse. Puis elle ralentit pour ne pas déraper sur le chemin de terre qui traversait les champs de lavande. Cela faisait plus d'un an qu'elle n'était pas venue ici, mais rien n'avait changé, et elle en était heureuse.

La lumière de la véranda était allumée, tout comme une lampe à l'intérieur. Linda sourit en se garant et sortit de sa voiture. C'était sans doute la lampe en cuivre datant des années 20, à la lumière de laquelle sa mère aimait lire tard le soir. Sylvia Redbird dormait très peu.

Linda allait taper au carreau lorsqu'elle aperçut un bout de papier couleur lavande scotché sur la porte. Elle y lut :

Linda chérie, j'ai senti que tu allais venir, mais je ne savais pas à quelle heure, alors je suis allée porter des savons et des sachets de lavande à la fête de Tahlequah. Je rentrerai au petit matin. J'espère que tu seras là à mon retour. Je t'aime.

Linda soupira, déçue.

— C'est ma faute, mumura-t-elle. Elle serait là si je n'avais pas cessé de venir la voir.

Sa mère devinait toujours qu'elle allait avoir de la visite.

— On dirait que son radar fonctionne parfaitement, se dit-elle en entrant.

Elle resta un moment dans la salle de séjour, perplexe. Devait-elle rentrer à Broken Arrow ? Peut-être John la laisserait-elle tranquille, au moins le temps qu'elle prenne un avocat et entame la procédure de divorce.

Mais elle n'était pas obligée de rentrer : elle avait fait une entorse à la règle selon laquelle ses enfants ne pouvaient dormir chez des amis en semaine. Elle soupira de nouveau, puis inhala les parfums de la maison de sa mère – lavande, vanille et sauge – provenant de vraies herbes et de bougies faites à la main, bien différentes des diffuseurs qu'elle utilisait chez elle à cause de John, qui détestait « ces bougies pleines de suie et ces vieilles plantes sales ». Sa décision était prise. Elle entra dans la cuisine, attrapa une bouteille de rouge dans le casier à vins de sa mère. Elle la boirait en entier en lisant l'un des romans à l'eau de rose de sa mère, puis elle irait se coucher dans la chambre d'amis, et elle savourerait chaque seconde. Demain, sa mère lui préparerait une infusion pour soigner sa gueule de bois, et elle l'aiderait à reprendre sa vie en main. Une vie où il n'y aurait plus de John Geniss, et où Zoey retrouverait sa place.

— Geniss, quel nom stupide ! dit-elle en se servant un verre. C'est l'une des premières choses dont je vais me débarrasser !

Elle parcourait du regard la bibliothèque à la recherche d'un livre. Elle opta pour un ouvrage au titre parlant : *Cette fois, peut-être.* Peut-être que, cette fois, elle ferait le bon choix. Elle venait de s'installer dans le fauteuil de sa mère quand on frappa à la porte.

Selon elle, il était bien trop tard pour recevoir des visiteurs, mais on ne savait jamais à quoi s'attendre dans la maison de Sylvia, alors elle alla ouvrir.

La femme vampire qui se tenait sur le pas de la porte était d'une beauté à couper le souffle. Elle lui semblait un peu familière, et elle était complètement nue.

CHAPITRE VINGT-CINQ

Neferet

— Vous n'êtes pas Sylvia Redbird, dit Neferet en considérant d'un air méprisant la femme terne qui avait ouvert la porte.

— Non, je suis sa fille. Ma mère n'est pas là, répondit Linda en jetant des coups d'œil nerveux par-dessus les épaules de l'inconnue.

Neferet sut qu'elle avait vu le taureau blanc, car elle écarquilla les yeux et perdit toutes ses couleurs.

— Oh ! C'est un... un... taureau ! Il fait brûler la terre ? Dépêchez-vous ! Vite ! Entrez vous mettre à l'abri. Je vais vous trouver un peignoir et appeler les services vétérinaires ou la police.

Neferet se tourna vers le taureau. Il se tenait au milieu du champ de lavande le plus proche. On aurait effectivement pu croire que tout brûlait autour de lui. Mais Neferet ne s'y trompait pas.

— Il ne fait pas brûler le champ ; il le gèle. Les plantes fanées sont en réalité gelées, dit-elle du ton neutre qu'elle utilisait en classe.

— Je… je n'avais jamais vu un taureau faire une chose pareille.

Neferet haussa un sourcil.

— Croyez-vous vraiment qu'il s'agit d'un animal ordinaire ?

— Non, murmura Linda, avant de se racler la gorge et de durcir le ton. Je suis désolée, mais je ne comprends pas ce que vous faites là. Je vous connais ? Je peux vous aider ?

— Je suis Neferet, la grande prêtresse de la Maison de la Nuit de Tulsa, et j'espère en effet que vous pourrez m'aider. D'abord, dites-moi quand votre mère doit rentrer, dit-elle d'une voix affable, alors même que la colère et une excitation agréable s'agitaient dans son esprit.

— Oh, voilà pourquoi vous me paraissez familière. Ma fille Zoey est dans cette école.

— Oui, je connais très bien Zoey. Alors, quand votre mère sera-t-elle de retour ?

— Pas avant demain. Vous voulez que je lui transmette un message ? Et… euh, souhaitez-vous que je vous donne un peignoir ?

— Pas de message et pas de peignoir, répondit Neferet sans plus chercher à se montrer aimable.

Elle leva la main et tira sur plusieurs fils d'Obscurité tapis dans l'ombre, avant de les jeter sur la femme.

— Ligotez-la et emmenez-la là-bas !

Quand elle se rendit compte qu'elle n'éprouvait pas la douleur que lui causait habituellement la manipulation des fils d'Obscurité, elle sourit au taureau avec gratitude et inclina la tête.

Tu me paieras plus tard, ma belle sans cœur, dit l'animal.

Neferet frémit d'impatience. Puis les cris de l'humaine firent irruption dans ses pensées, et elle claqua des doigts.

— Et bâillonnez-la ! Je ne puis tolérer ce bruit !

Les hurlements s'arrêtèrent aussi vite qu'ils avaient commencé. Neferet s'avança dans le champ de lavande, ignorant le froid qui mordait ses pieds et sa peau nus. Elle caressa la corne du taureau d'un seul doigt, puis fit la révérence avec grâce en le fixant dans les yeux.

— Voici votre victime.

Le taureau jeta un regard sur Linda.

Ce n'est pas une matriarche âgée et puissante. C'est une pathétique femme au foyer dont la vie a été rongée par la faiblesse.

— C'est exact, mais sa mère est une sage cherokee. Son sang coule dans ses veines.

Dilué.

— Conviendra-t-elle ou non ? Pouvez-vous l'utiliser pour fabriquer mon Instrument ?

Oui, mais il sera à la mesure du sacrifice, et cette femme est loin d'être parfaite.

— Mais l'investirez-vous d'un pouvoir que je pourrai commander ?

Oui.

— Alors, je veux que vous acceptiez cette femme.

Comme tu voudras, ma belle sans cœur. Bon, je commence à me lasser. Tue-la vite et passons à autre chose.

Neferet ne dit rien. Elle s'approcha de l'humaine, qui ne luttait même pas. Elle se contentait de sangloter en silence alors que les tentacules d'Obscurité laissaient des entailles rouges sur sa bouche et son visage, et sur son corps ligoté.

— Il me faut une lame. Tout de suite.

Neferet tendit la main, et aussitôt elle ressentit une douleur glacée. Un long poignard y était apparu. D'un geste rapide, elle trancha la gorge de Linda. Les yeux de la femme s'élargirent, puis se révulsèrent alors qu'elle se vidait de son sang.

Prenez tout ! N'en perdez pas une goutte.

Les filaments d'Obscurité obéirent au taureau et se tortillèrent sur le corps de Linda ; ils s'attachèrent à sa gorge et à ses plaies et les léchèrent. Hypnotisée, Neferet vit que chaque tentacule était relié au taureau, se dissolvait dans son corps et l'alimentait en sang humain.

La bête gémit de plaisir.

Lorsque l'humaine ne fut plus qu'une enveloppe vide et que le taureau fut gonflé de sang, Neferet se donna tout entière à l'Obscurité.

Heath

— Allez, Neal ! s'écria Heath.

Il tendit le bras en arrière et envoya la balle au receveur, qui portait le maillot sur lequel était écrit : SWEENEY.

Neal la réceptionna, feinta et esquiva plusieurs types en maillot écarlate et crème, et il marqua.

— Ouais ! exulta Heath, le poing en l'air. Sweeney pourrait attraper un moucheron sur le dos d'une mouche !

— Tu t'amuses bien, Heath Luck ?

Au son de la voix de la déesse, Heath baissa le poing et lui sourit d'un air penaud.

— Oh oui ! C'est super ici ! Il y a toujours des matchs, des super joueurs, des supporters géniaux, et quand j'en ai marre du foot, il y a le lac au bout de la rue. Il y a assez de poissons pour faire pleurer un pêcheur professionnel.

— Et les filles ? Je ne vois pas de pom-pom girls.

Le sourire de Heath s'effaça.

— Des filles ? Non. Il n'y a qu'une seule fille pour moi, et elle n'est pas là. Vous le savez, Nyx.

— Je vérifiais, c'est tout, dit Nyx, radieuse. Tu veux bien t'asseoir un moment et discuter avec moi ?

Elle agita la main, et la réplique du stade universitaire disparut. Soudain, Heath se retrouva au bord d'un canyon immense, si profond que la rivière qui rugissait tout en bas ressemblait à un fil argenté. Le soleil se levait de l'autre côté de la falaise sur un ciel teinté de violet, de rose et de bleu.

Un mouvement attira l'attention du garçon, et il remarqua des centaines, peut-être des milliers de globes scintillants qui tombaient dans la gorge. Certains ressemblaient à des perles électriques, d'autres à des géodes, d'autres encore étaient si fluorescents qu'ils lui faisaient mal aux yeux.

— Waouh ! C'est trop beau ! dit-il en mettant sa main en visière. C'est quoi, ces trucs ?

— Des esprits, répondit Nyx.

— Vraiment ? Genre, des fantômes ?

— Un peu. Ou plutôt des entités comme toi.

— C'est bizarre. Je ne ressemble pas à ça. Je suis comme avant.

— Pour l'instant, oui.

Heath baissa les yeux pour s'assurer qu'il était toujours lui. Soulagé, il regarda de nouveau la déesse.

— Faut-il que je me prépare à me transformer ?

— Ça dépend uniquement de toi. J'ai une proposition à te faire, comme on dit dans ton monde.

Heath la regarda, intrigué.

— La voilà : tu devras faire un choix.

— Un choix ? Entre quoi et quoi ?

— Je vais te donner à choisir entre trois avenirs. Cependant, sache avant toute chose que l'issue n'est pas figée. Seule ta décision sera définitive. Ce qui arrivera ensuite dépendra du hasard, du destin et des ressources de ton âme.

— OK, je crois comprendre. Je dois faire un choix, mais ensuite ce sera à moi de me débrouiller, c'est ça ?

— Avec ma bénédiction, précisa la déesse.

— J'espère bien !

Nyx le fixa avec attention, l'air grave.

— Je t'accorderai ma bénédiction seulement si tu choisis mon chemin. Je ne pourrais bénir un futur lié à l'Obscurité.

— Pourquoi opterais-je pour le mal ? C'est absurde.

— Écoute-moi bien, mon fils ! Pèse les possibilités que je vais t'offrir, et tu comprendras.

— OK, dit Heath, tendu.

— Première option : tu resteras dans ce royaume. Tu seras satisfait, comme tu l'es en ce moment. Tu vivras éternellement dans la joie avec mes autres enfants.

— Être satisfait n'est pas être heureux. Je suis un sportif, mais je ne suis pas stupide.

— Bien sûr que non. Deuxième option : tu renais. Tu peux rester encore un siècle ou plus ici, mais tu finiras par sauter dans ce précipice pour retourner dans le royaume des mortels, où tu renaîtras en tant qu'humain qui retrouvera un jour son âme sœur.

— Zoey ! s'écria Heath au bout d'un moment.

Lorsqu'il prononça son nom, il se demanda pourquoi cela lui avait pris aussi longtemps. Qu'est-ce qui n'allait pas chez lui ? L'avait-il oubliée ? Pourquoi n'avait-il pas...

Nyx lui toucha doucement le bras.

— Ne t'en veux pas ! L'Au-delà peut être enivrant. Tu n'as pas oublié ton amour – c'est impossible. Tu as seulement permis à l'enfant qui est en toi de te dominer pendant un certain temps. Il aurait fini par céder la place à l'adulte, et tu te serais souvenu de Zoey et de ton amour pour elle. Dans des circonstances normales, c'est ainsi que se passent les choses. Mais le monde d'aujourd'hui n'est pas normal, et les circonstances non plus. Alors, je vais demander à cet enfant de grandir un peu plus vite, si tu es d'accord.

— Si ça a un rapport avec Zoey, c'est oui.

— Écoute-moi bien, Heath Luck. Tu retrouveras ta Zoey si tu choisis de renaître ; je te donne ma parole. Toi et elle êtes destinés à vivre ensemble, que ce soit en tant que vampire et compagnon ou vampire et consort. Cela arrivera, et tu peux choisir que cela arrive dans cette vie.

— OK, je...

Elle le fit taire d'un geste.

— Il y a une dernière option. Au moment où je te parle, le monde des mortels se transforme. La grande ombre de l'Obscurité, sous la forme du taureau blanc, a pris un avantage inattendu. Le bien et le mal ne sont plus équilibrés.

— Et vous ne pouvez pas réparer ça d'un claquement de doigts ?

— Je le ferais si je n'avais pas doté mes enfants de libre arbitre.

— Vous savez, parfois les gens sont idiots, et ils ont besoin qu'on leur dise quoi faire.

L'expression de Nyx était toujours sérieuse, mais ses yeux pétillaient.

— Si je commence à ôter le libre arbitre de mes enfants et à contrôler leurs décisions, comment cela se terminera-t-il ? Ne deviendrai-je pas une marionnettiste, et eux des pantins ?

Heath soupira.

— Vous avez sans doute raison. Après tout, vous êtes une déesse, vous savez de quoi vous parlez. Mais ce serait plus simple...

— Ce qui est le plus facile est rarement le meilleur.

— Oui, je sais. Ça craint. Alors, quelle est ma troisième option ? Vous me dites que ça a un lien avec le bien et le mal ?

— Oui. Neferet est devenue immortelle, une créature de l'Obscurité. Cette nuit, elle s'est alliée avec le mal le plus pur qui puisse se manifester sur terre, le taureau blanc.

— Je le connais ! Il a essayé de nous attraper quand on est morts.

Nyx hocha la tête.

— Oui, le taureau blanc a été réveillé par les mouvements du bien et du mal dans le monde des mortels. Cela faisait des siècles qu'il n'était pas passé ainsi entre les royaumes.

La déesse frissonna, ce qui inquiéta Heath.

— Que se passe-t-il ?

— Il va donner à Neferet un instrument, une créature vide créée par un sacrifice terrible, dans la luxure, la cupidité, la haine et la souffrance, qu'elle pourra totalement contrôler.

Nyx se tut un instant avant de poursuivre.

— Si le sacrifice avait été parfait, l'Instrument serait l'arme idéale de l'Obscurité. Mais il y a un défaut dans sa création, et c'est là que ton choix intervient, mon garçon.

— Je ne comprends pas.

— L'Instrument est censé être une machine dénuée d'âme ; seulement, à cause de ce défaut, je suis capable de le toucher.

— Genre, il a un talon d'Achille ?

— Oui, c'est un peu ça. Si tu choisis cette option, je me servirai de ce défaut, et j'insérerai ton âme dans cette enveloppe vide.

Heath cligna des yeux, frappé par l'énormité de ce qu'elle lui proposait.

— Saurai-je que je suis moi ?

— Comme toutes les âmes réincarnées, tu n'auras conscience que de ton essence. Cela ne disparaît jamais, quel que soit le nombre de vies. Et, bien sûr, si tu fais ce choix, tu reconnaîtras l'amour. Lui non plus ne s'efface jamais. Il est simplement refoulé, ou mis à l'écart.

— Attendez ! Cette... cette chose est dans le monde de Zoey ? En ce moment ?

— Elle sera créée cette nuit.

— Par Neferet, l'ennemie de Zo.

— Oui.

— Alors, Neferet va utiliser ce type contre elle ?

— Je suis sûre que c'est son intention.

— Avec moi en lui, elle peut toujours essayer ! Elle n'ira pas bien loin.

— Avant que tu prennes une décision définitive, tu dois comprendre : tu ne sauras plus qui tu es. Heath aura disparu. Seule ton essence demeurera, pas tes souvenirs. Et tu vivras dans une créature conçue pour détruire ce que tu aimes le plus. Tu risques de succomber à l'Obscurité.

— Nyx, allons droit au but : Zo a besoin de moi ?

— Oui.

— Alors, je choisis la troisième option. Je veux entrer dans l'Instrument.

Nyx lui adressa un sourire radieux.

— Je suis fière de toi, mon fils ; tu retourneras dans le monde moderne avec ma bénédiction.

Nyx leva la main et tira sur une sorte de fil argenté qui flottait dans l'air, si brillant et si beau que Heath en eut le souffle coupé. Elle fit un cercle avec ses doigts, et le fil se transforma en un globe de la taille d'une pièce de monnaie, à l'intérieur duquel brillait une lumière évoquant une pierre de lune.

— Trop cool ! Qu'est-ce que c'est ?

— De la magie très ancienne. On la trouve rarement sur Terre ; elle supporte mal la civilisation. Mais c'est avec de la magie ancienne que le taureau blanc a créé l'Instrument, alors il est normal que j'en fasse de même.

La voix de Neferet devint chantante.

Une fenêtre dans l'âme pour voir
La Lumière et la Magie que j'envoie avec toi
Sois fort, sois brave, fais le bon choix
Même si l'Obscurité crie avec une terrible voix
Sache que je te regarderai tous les jours
Et que toujours, toujours, la réponse est l'amour !

Ensuite, la déesse jeta le globe sur lui, et Heath fut aveuglé par sa lumière magique. Il trébucha, recula et se sentit basculer dans le précipice...

CHAPITRE VINGT-SIX

Neferet

Elle avait mal, mais cela lui était égal. En vérité, elle aimait cette douleur. Elle inspira à fond, rassemblant les restes du pouvoir du taureau blanc qui se tortillaient dans les ombres précédant l'aube. L'Obscurité la fortifia. Sans se souvenir du sang qui la maculait, Neferet se leva.

Le taureau l'avait laissée sur le balcon de son appartement. Kalona n'était pas là, mais cela lui importait peu. Elle ne le désirait plus : désormais elle n'aurait plus besoin de lui.

Elle se tourna vers le nord, la direction associée à la terre. Elle leva les bras et se mit à agiter les doigts, comme si elle tissait des fils invisibles de magie ancienne et puissante. Puis, d'une voix dénuée d'émotion, elle récita l'incantation que lui avait apprise le taureau :

De la terre et du sang tu es issu
Un pacte avec l'Obscurité j'ai conclu

Emplie de pouvoir tu n'entendras que ma voix
Ta vie est mienne ; tu n'as pas le choix
Tiens la promesse du taureau ce soir
Et toujours, toujours, délecte-toi de cette terrible lumière
noire !

La Tsi Sgili lança le brasier d'Obscurité devant elle. Il heurta le sol en pierre et s'éleva tel un pilier, tourbillonnant, se tordant, se transformant...

Hypnotisée, Neferet regardait l'Instrument prendre forme. Le corps qui émergeait du pilier de lumière lui rappelait le pelage perle du taureau blanc. Quand il fut debout devant elle, Neferet retint son souffle, émerveillée.

Il était magnifique. Un jeune homme absolument superbe. Grand, fort, parfaitement constitué. Une personne non avisée ne verrait aucune trace d'Obscurité en lui. La peau qui recouvrait ses muscles puissants était lisse, ses cheveux longs et épais avaient la couleur des blés. Ses traits étaient parfaits – son apparence ne trahissait aucun défaut.

— Agenouille-toi devant moi, et je te donnerai ton nom, ordonna Neferet.

L'Instrument lui obéit immédiatement. Elle sourit avec satisfaction et posa sa main tachée de sang sur le sommet de sa tête blonde et soyeuse.

— Tu t'appelleras Aurox, du nom de l'ancien taureau.

— Oui, maîtresse. Je suis Aurox.

Neferet partit d'un rire hystérique, dément, sans se soucier d'avoir laissé Aurox à genoux sur le balcon, dans l'attente de son prochain ordre, et sans s'apercevoir qu'il la regardait s'éloigner avec des yeux luisants, comme si des pierres de lune les illuminaient de l'intérieur...

Zoey

— Oui, je sais, Nyx lui a pardonné et l'a transformé en humain. Enfin, plus ou moins... Je dois dire que je ne connais personne qui se transforme en oiseau pendant la journée.

Stark avait l'air très fatigué, mais pas assez pour cesser de se faire du souci.

— C'est la conséquence de tout ce qu'il a fait de mal, dis-je, blottie contre lui.

Nous nous étions installés dans l'ancienne chambre de Dallas, au fond des souterrains de la gare. J'avais purifié les lieux avec les éléments, et nous avons tout nettoyé. Il y avait encore du travail, mais c'était habitable. Et Neferet n'était pas là.

— Oui, mais c'est quand même bizarre, s'entêta Stark. Il y a quelques heures, c'était encore un Corbeau Moqueur, et le fils préféré de Kalona.

— Je ne dis pas le contraire. Moi aussi, je trouve ça bizarre, mais j'ai confiance en Lucie, et elle l'aime.

Je fis la grimace pour le faire rire.

— Elle l'aimait même avant qu'il ne soit débarrassé de son bec et de ses plumes. Beurk ! Il va falloir qu'elle me raconte tout ça. Je me demande ce qui se passe entre eux en ce moment...

— Pas grand-chose. Le soleil vient de se lever. C'est un oiseau. Elle va le mettre en cage, à ton avis ?

Je le frappai.

— Ne raconte pas de bêtises !

— Ce serait logique, dit-il en bâillant à s'en décrocher la mâchoire. Mais quoi qu'elle fasse, tu devras attendre demain pour le savoir.

— On a sommeil, mon petit garçon ?

— Petit garçon ? pouffa Stark. Je te trouve bien insolente !

Il se mit à me chatouiller comme un fou, et je ripostai en tirant les poils de ses bras. Cela vira au combat de lutte, et je me retrouvai plaquée sur le dos.

— Tu te rends ? lâcha-t-il.

Il tenait mes deux poignets dans une main et me chatouillait l'oreille avec son souffle.

— Pas question. Tu n'es pas mon maître.

Je me débattis. En vain. Bon, j'admets que je n'y mis pas beaucoup de volonté. Après tout, il était collé contre moi et ne me faisait pas mal du tout, sans compter qu'il était hyper canon, et que je l'aimais.

Il m'embrassa, et je me dis qu'il était étrange et merveilleux qu'un simple baiser puisse éveiller autant de choses en moi. Ses lèvres étaient si douces ! Et plus il m'embrassait, moins je pensais. Je ne faisais que ressentir : son corps, mon corps, notre plaisir.

Si bien que j'avais à peine remarqué qu'il me maintenait toujours les bras au-dessus de la tête. Il glissa la main sous le T-shirt Superman trop grand qui me servait de pyjama, puis vers ma culotte. Soudain, son baiser changea : de doux, il devint sauvage. Trop sauvage. On aurait dit que Stark était affamé, et que j'étais le repas qui devait le rassasier.

J'essayai de libérer mes poignets, sans succès.

Je tournai la tête, et ses lèvres se retrouvèrent sur mon cou. Je tentai de reprendre mes esprits, de comprendre ce qui me dérangeait tant, quand il me mordit. Très fort.

Ce n'était pas comme la dernière fois, sur Skye, où nous l'avions tous les deux désiré. Aujourd'hui, il était brutal et possessif.

— Aïe !

Je réussis à dégager une de mes mains et le repoussai.

— Stark ! Tu m'as fait mal.

Il gémit et se pressa contre moi, comme si je n'avais pas réagi. Je sentis à nouveau ses dents sur ma peau, et cette fois je criai et me débattis.

Il se hissa sur les coudes et me regarda. L'espace d'un instant, je vis dans ses yeux quelque chose qui me donna la chair de poule. Je tressaillis, il cligna des yeux, et me regarda d'un air interrogateur, puis choqué. Il me relâcha immédiatement le poignet.

— Merde ! Je suis désolé, Zoey. Déesse, je suis désolé ! Tu es blessée ?

— C'était bien trop brutal !

Il se passa la main sur le visage.

— Je ne m'en suis pas rendu compte... Je ne sais pas pourquoi...

Il inspira profondément.

— Je suis désolé, Zoey.

— Tu m'as mordue !

— Oui, j'ai pensé que c'était une bonne idée, sur le coup.

— Ça m'a fait mal, dis-je en me frottant le cou.

— Montre-moi ! C'est un peu rouge, c'est tout, dit-il avant d'embrasser délicatement l'endroit endolori. Je ne pensais pas t'avoir mordue aussi fort. Sérieusement, Zoey.

— Et pourtant tu l'as fait. Sérieusement, Stark. Et tu n'as pas voulu lâcher mes poignets quand je te l'ai demandé.

— C'est... c'est juste que tu m'excites tellement que...

— Que tu ne peux pas te contrôler ? C'est quoi, cette histoire ?

— Non ! Non, ce n'est pas ça, Zoey. Je suis ton combattant, ton gardien. C'est mon devoir, de te protéger de ceux qui pourraient te faire du mal.

— Toi y compris ?

Il soutint mon regard. Je lus dans ses yeux de la confusion, de la tristesse et de l'amour. Beaucoup d'amour.

— Moi y compris. Tu penses vraiment que j'en serais capable ?

Je soupirai. Pourquoi faire tout un plat de cet incident ? Il s'était laissé emporter, m'avait bloqué les bras, m'avait mordue et ne s'était pas écarté à la seconde même où je le lui avais demandé. C'était un mec.

— OK, chut, dis-je en posant un doigt sur ses lèvres. Tu es fatigué. Le soleil est levé. On a vécu une journée complètement dingue. Allez, on dort ! Plus de morsure, d'accord ?

— Bonne idée, dit-il en ouvrant les bras. Tu veux bien venir ici ?

Je hochai la tête et me blottis contre lui. Il était, comme toujours, fort et rassurant, et très délicat.

— J'ai des troubles du sommeil en ce moment, dit-il après m'avoir embrassée sur le front.

— Je sais, je dors avec toi.

— Tu ne me proposes pas de suivre une thérapie avec Dragon Lankford aujourd'hui ?

— Je te signale qu'il est resté à la Maison de la Nuit.

— Comme les autres professeurs. Même Lenobia ne nous a pas suivis, et pourtant elle nous soutient à cent pour cent.

— Oui, mais elle ne peut pas laisser ses chevaux. Et puis avec Dragon, c'est différent... Il a refusé de pardonner à Rephaïm, bien que Nyx le lui ait demandé.

— C'était terrible. Cela dit, je n'aurais pas envie de pardonner à quelqu'un qui t'aurait tuée.

— C'est comme si je pardonnais à Kalona d'avoir tué Heath.

Il me serra plus fort contre lui.

— Tu en serais capable ?

— Honnêtement, je ne sais pas...

— Allez, tu peux me le dire.

— Dans l'Au-delà, quand tu étais, euh, mort... Nyx était là.

— Oui, tu me l'as dit. Elle a forcé Kalona à rembourser sa dette envers toi en me ressuscitant.

— Ce que je ne t'ai pas raconté, c'est que Kalona

était hyper ému face à elle. Il lui a demandé si elle lui pardonnerait un jour.

— Et... ?

— Elle lui a répondu de lui reposer la question quand il mériterait son pardon, comme à Neferet ce soir.

— Ce n'est pas bon signe, ni pour Kalona ni pour Neferet.

— C'est sûr... Je crois que ma réponse serait comme celle de Nyx. Je pense que le vrai pardon est un cadeau qui se mérite, et je sais que Kalona ne me demandera pas pardon tant qu'il ne sera pas devenu quelqu'un de bien. Je doute que cela arrive un jour.

— Pourtant, il a libéré Rephaïm ce soir, murmura Stark.

J'entendais des émotions contradictoires dans sa voix. Je les comprenais : je les éprouvais moi aussi.

— J'y ai réfléchi, et je suis persuadée que cela va lui être bénéfique, d'une façon ou d'une autre.

— Ce qui veut dire qu'on doit garder un œil sur Rephaïm. Tu comptes en parler à Lucie ?

— Oui, mais le problème, c'est qu'elle l'aime...

— Et quand on aime une personne, on ne la voit pas telle qu'elle est.

— Tu parles d'expérience ? fis-je en le regardant d'un air mauvais.

— Non, non, répondit-il avec son petit sourire malicieux. Ce n'est qu'une observation. Bon, il faut dormir, maintenant. Couche-toi, femme, que je trouve le repos.

— Tu parles vraiment comme Seoras. C'est flippant ! Si en plus tu décides de te laisser pousser un bouc blanc, je vais devoir te renvoyer.

Stark se frotta le menton, comme s'il considérait cette éventualité.

— Tu ne peux pas me renvoyer. C'est un contrat à vie.

— Alors, j'arrêterai de t'embrasser.

— OK, pas de barbe pour moi, fillette.

Je lui souris, heureuse qu'il soit là pour toujours.

— Hé, et si tu t'endormais le premier ? proposai-je en posant la main sur sa joue. Ce soir, c'est moi qui vais veiller sur mon gardien.

— Merci ! Je t'aime, Zoey Redbird.

— Je t'aime aussi, James Stark.

Il embrassa les tatouages délicats que la Déesse avait placés sur ma paume. Quand il ferma les yeux et que son corps se détendit, je lui caressai les cheveux en me demandant si Nyx m'accorderait d'autres tatouages. Elle m'avait donné des Marques, les avait enlevées – c'est du moins ce que mes amis m'avaient dit –, puis me les avait rendues quand j'étais revenue de l'Au-delà. Peut-être était-ce terminé maintenant – peut-être que je n'en aurais plus d'autres. J'y pensais quand mes paupières devinrent lourdes, lourdes... Je décidai de les fermer un petit moment. Stark était endormi, alors ça ne craignait rien...

Les rêves sont très étranges. Je rêvais que je volais comme Superman – bras tendus devant moi, avec la musique du film avec Christopher Reeves en fond sonore – quand tout a basculé.

La musique a été remplacée par la voix de ma mère.

— Je suis morte !

Nyx lui répondit avec douceur.

— *Oui, Linda, tu es morte.*

Mon ventre se serra. « C'est un rêve. Ce n'est qu'un mauvais rêve ! » pensai-je.

— *Regarde en bas, mon enfant. Il est important que tu assistes à cela.*

Quand la voix de la déesse s'introduisit dans mon esprit, je sus que la réalité s'était infiltrée dans le royaume des rêves.

Je m'exécutai à contrecœur.

Je vis l'entrée du royaume de Nyx. Il y avait la vaste Obscurité dans laquelle j'avais sauté pour retrouver mon corps, puis une arche en pierre derrière laquelle on voyait le bois magique de Nyx, et l'arbre à souhaits éthéré, version magnifiée de celui auquel Stark et moi avions attaché nos vœux, sur l'île de Skye.

Sous l'arche se tenait ma mère, face à Nyx.

— Maman ! m'écriai-je, mais ni elle ni Nyx ne réagirent.

— *Sois témoin en silence, mon enfant.*

Alors, je flottai au-dessus d'elles, le visage baigné de larmes.

Ma mère dévisageait la déesse.

— Alors, Dieu est une fille ? Ou peut-être mes péchés m'ont-ils envoyée en enfer ? lâcha-t-elle d'une petite voix effrayée.

Nyx sourit.

— Ici, nous ne nous soucions pas des péchés passés. Dans mon Au-delà, nous ne nous préoccupons que de l'esprit, et de l'essence qu'il choisit de porter en lui : Lumière ou Obscurité. C'est très simple, en réalité.

Ma mère se mordilla la lèvre.

— Et que porte le mien ?

— À toi de me le dire, Linda. Qu'as-tu choisi ?

Ma mère se mit à pleurer, et mon cœur se serra.

— Jusque-là, je crois que j'ai été du mauvais côté.

— Il y a une grande différence entre la faiblesse et la méchanceté.

— J'étais faible. Je ne voulais pas l'être ! C'est juste que ma vie était comme une masse de neige dévalant une pente montagneuse, et je n'arrivais pas à sortir de l'avalanche. Mais j'ai essayé, à la fin. C'est pour ça que j'étais chez ma mère. Je voulais reprendre ma vie en main, et me réconcilier avec ma fille. Elle est...

Soudain, elle écarquilla les yeux, comme si elle venait de comprendre quelque chose.

— Vous êtes Nyx, la déesse de Zoey !

— En effet.

— Oh ! Alors, Zoey sera là, un jour ?

Je serrai les bras sur ma poitrine. *Elle m'aimait. Maman m'aimait vraiment !*

— Oui, mais pas avant de nombreuses années, je l'espère.

— Pourrais-je entrer et l'attendre ? poursuivit ma mère d'une voix hésitante.

— Bien sûr, répondit Nyx en écartant les bras. Bienvenue dans l'Au-delà, Linda Redbird. Laisse douleur, tristesse et regrets derrière toi, et n'emporte avec toi que de l'amour. Toujours de l'amour.

Alors, ma mère et Nyx disparurent dans un éclair

aveuglant. Je me réveillai, allongée au bord du lit, en larmes.

Stark se réveilla immédiatement.

— Que se passe-t-il ? demanda-t-il en m'enlaçant.

— C'est ma maman. Elle est morte ! sanglotai-je. Elle... elle m'aimait vraiment.

— Bien sûr qu'elle t'aimait, Zoey !

Je fermai les yeux et laissai Stark me réconforter sans cesser de verser des larmes de douleur, de tristesse et de regrets, jusqu'à ce qu'il ne reste que de l'amour. Toujours de l'amour.

REMERCIEMENTS

Comme toujours, nous aimerions remercier la famille de St. Martin's Press ; c'est génial de pouvoir dire en toute honnêteté que nous aimons et respectons notre éditeur !

Nous adorons notre agent, Meredith Bernstein, sans qui la Maison de la Nuit n'existerait pas.

Merci à nos fans, qui sont les lecteurs les plus malins, les plus cool et les meilleurs de l'univers !

Un remerciement tout particulier à nos fans de Tulsa, grâce auxquels la Tournée de la Maison de la Nuit de Tulsa a été si amusante !

Merci à Stephen Schwartz, qui nous a autorisés à utiliser les paroles de sa chanson magique. (Jack t'adore, Stephen !)

P.-S. À Joshua Dean, de la part de Phyllis : merci pour les citations. Hi, hi hi !

Découvrez en avant-première
la suite des aventures de
Zoey dans

LA MAISON DE LA NUIT
LIVRE 9

DESTINÉE

(parution octobre 2013)

PROLOGUE

Zoey

J e crois que ma mère est morte.
Je testais ces mots en silence. Ils me paraissaient
faux, pas naturels, comme si j'essayais d'imaginer
le monde à l'envers.

J'inspirai profondément, secouée de sanglots, et rou-
lai sur le côté pour prendre un autre mouchoir en papier
dans la boîte posée par terre, à côté du lit.

Stark marmonna, fronça les sourcils et remua dans
tous les sens.

Lentement, avec précaution, je me levai, ramassai son
pull extra-large, l'enfilai et me blottis dans le grand
pouf, près du mur de notre petite chambre souterraine.

Stark grommela à nouveau, le visage contracté. Je me
mouchai doucement. *Arrête de pleurer, arrête de pleurer,
arrête de pleurer ! Ça n'arrangera rien. Ça ne ramènera pas
maman.* Je clignai plusieurs fois des yeux et m'essuyai
le nez. *Ce n'était peut-être qu'un rêve.* Cependant, mon
cœur connaissait la vérité. Nyx m'avait sortie de mes
rêves pour me montrer une vision de ma mère pénétrant

dans l'Au-delà. Cela signifiait qu'elle était morte. *Elle a dit à Nyx qu'elle était désolée de m'avoir laissée tomber*, me souvins-je, alors que de nouvelles larmes coulaient sur mes joues.

— Elle a dit qu'elle m'aimait, chuchotai-je.

J'avais à peine fait un bruit, mais Stark s'agita et se retourna brusquement.

— Arrête !

Je serrai les lèvres, même si je savais que ce n'était pas moi qui avais troublé son sommeil. Stark était mon combattant, mon gardien, et mon petit ami. Non, ce terme trop simple ne convenait pas. Ce qui me liait à Stark était bien plus profond qu'une relation amoureuse normale. Voilà ce qui expliquait son agitation. Il ressentait ma tristesse ; même dans ses rêves, il savait que je pleurais, que je souffrais, que j'avais peur et...

Il repoussa la couverture et je vis son poing serré. Mes yeux remontèrent jusqu'à son visage. Il dormait toujours, mais il avait le front plissé, les sourcils froncés.

Je fermai les yeux et pris une grande inspiration.

— Esprit, s'il te plaît, viens à moi.

Je sentis aussitôt la caresse de l'élément sur ma peau.

— Aide-moi. Non, aide plutôt Stark en le protégeant de ma tristesse.

Et peut-être pourrais-tu m'en protéger un peu, moi aussi, ajoutai-je silencieusement. *Ne serait-ce qu'un tout petit moment.*

L'esprit tourbillonnant en moi et autour de moi fila vers le lit. J'ouvris les yeux et je vis onduler l'air autour de Stark. On aurait dit que sa peau luisait alors que l'élément le recouvrait telle une couverture diaphane. Soudain, je ressentis une bouffée de chaleur et, en jetant un coup d'œil à mes bras, je vis la même douce lueur sur ma peau. Stark poussa un long soupir au même moment que moi : l'esprit nous prodiguait un peu de sa magie apaisante, et pour la première fois depuis des heures, je sentis une infime partie de ma tristesse me quitter.

— Merci, esprit, murmurai-je.

Le voile réconfortant de l'élément dont je me sentais le plus proche m'enveloppait, et le sommeil commençait même à me gagner. Mais alors, une chaleur différente pénétra ma conscience. Lentement, ne voulant pas rompre le charme, je touchai ma poitrine.

Pourquoi ma pierre de prophète chauffe-t-elle ? La petite pierre ronde reposait sur ma poitrine, pendue à une chaîne en argent. Je ne l'avais pas enlevée depuis que Sgiach me l'avait offerte, avant que je ne quitte Skye, cette île superbe et magique.

Étonnée, je la sortis de sous mon pull et passai les doigts sur sa surface lisse en marbre. Elle ressemblait toujours à un bonbon à la menthe, mais le marbre de Skye scintillait avec un éclat surnaturel, comme si l'esprit lui avait insufflé la vie.

La voix de la reine Sgiach retentit dans ma mémoire : « Une pierre de prophète est liée seulement à la magie la plus ancienne : celle que je protège sur mon île. Je t'en fais cadeau pour que tu puisses reconnaître les Anciens s'ils existent encore dans le monde extérieur… »

Alors que ses paroles se déroulaient dans ma tête, la pierre se mit à tourner avec lenteur, presque paresseusement. Le trou en son centre formait comme un mini-télescope. Alors qu'elle tournait sur elle-même, je voyais Stark illuminé à travers elle, et mon univers se mit à bouger lui aussi, à rétrécir, puis tout se transforma.

Grâce à la proximité de l'esprit, peut-être, ce que je vis ne me fit pas le même effet hallucinant que la première fois que j'avais regardé à travers la pierre, sur Skye. J'avais alors fini par m'évanouir.

Mais cette expérience n'en restait pas moins perturbante.

Stark était là, allongé sur le dos, le torse presque entièrement dénudé. La lueur de l'esprit avait disparu, remplacée par une autre image indistincte. On aurait dit l'ombre de quelqu'un. Le bras de Stark tressauta et il ouvrit la main. L'épée du gardien – l'arme longue et massive qu'il avait reçue dans l'Au-delà – y apparut. Je réprimai un cri quand le combattant fantomatique tourna la tête dans ma direction et referma la main autour de la poignée.

Aussitôt, l'épée se métamorphosa en une longue lance noire, et mortelle, couronnée de sang, et par trop familière. La peur me transperça.

— Non ! m'écriai-je. Esprit, renforce Stark ! Fais disparaître cette chose !

Dans un bruit de battement d'ailes géantes, l'apparition s'envola, la pierre se refroidit, et Stark se redressa brusquement. Il me regarda en fronçant les sourcils.

— Qu'est-ce que tu fabriques là-bas ? demanda-t-il en se frottant les yeux. Et pourquoi fais-tu autant de bruit ?

J'ouvrais la bouche pour tenter de lui expliquer ma vision bizarre quand il poussa un gros soupir, se rallongea, et me fit signe de le rejoindre d'un air ensommeillé.

— Viens là. Je ne peux pas dormir quand tu n'es pas blottie contre moi. Et j'ai vraiment besoin de dormir.

— Oui, moi aussi.

Je me précipitai vers le lit, les jambes tremblantes, et me pelotonnai contre lui, posant la tête sur son épaule.

— Euh... Quelque chose d'étrange vient de se produire, commençai-je, mais quand je relevai la tête pour le regarder dans les yeux, ses lèvres trouvèrent les miennes.

Ma surprise fut de courte durée, et je me laissai aller à ce baiser. C'était tellement agréable d'être près de lui. Il m'enlaça. Je me pressai contre lui alors que ses lèvres parcouraient la courbe de mon cou.

— Je croyais que tu avais besoin de dormir, soufflai-je, haletante.

— J'ai surtout besoin de toi.

— Oui. Moi aussi.

Nous nous perdîmes l'un en l'autre. Avec ses caresses, Stark chassait la mort, le désespoir et la peur. Ensemble, nous nous remémorions que la vie, le bonheur et l'amour existaient eux aussi. Ensuite, nous finîmes par nous endormir, et la pierre de prophète reposa sur ma poitrine, froide et oubliée, entre nous deux.

Ouvrage composé par
PCA - 44400 Rezé

Cet ouvrage a été imprimé
en France par

La Flèche (Sarthe), le 24-01-2013
N° d'impression : 71327

Dépôt légal : février 2013

Pocket Jeunesse, une marque d'Univers Poche,
est un éditeur qui s'engage pour
la préservation de son environnement
et qui utilise du papier fabriqué à partir
de bois provenant de forêts gérées
de manière responsable.

www.pocketjeunesse.fr
• POCKET JEUNESSE

12, avenue d'Italie – 75627 PARIS Cedex 13